新课标小学语文阅读丛书

原著/（明）施耐庵
改编/朱明霞

水浒传
Shuihuzhuan

彩绘注音版

二十一世纪出版社
21st Century Publishing House

图书在版编目(CIP)数据

水浒传/(明)施耐庵原著;朱明霞改编.-南昌:二十一
世纪出版社,2009.3(2013.8重印)
(新课标小学语文阅读丛书)
ISBN 978-7-5391-4730-7

Ⅰ.水… Ⅱ.①施… ②朱… Ⅲ.汉语拼音—儿童读物
Ⅳ.H125.4

中国版本图书馆CIP数据核字(2009)第021440号

水浒传 原著/(明)施耐庵　改编/朱明霞

责任编辑　凌　云
设计制作　北京知信阳光文化发展有限公司
出版发行　二十一世纪出版社(江西省南昌市子安路75号　330009)
　　　　　www.21cccc.com　cc21@163.net
出 版 人　张秋林
经　　销　全国各地新华书店
印　　刷　南昌市红星印刷有限公司
版　　次　2009年3月第1版　2013年8月第8次印刷
印　　数　78,001—88,000册
开　　本　880mm×1230mm　1/32
印　　张　7
书　　号　ISBN 978-7-5391-4730-7
定　　价　12.00元

如发现印装质量问题,请寄本社图书发行公司调换,服务热线:0791-86512056

飞翔，
用书页做我们的翅膀

彭学军

看过这样一幅画：白云朵朵，阳光灿烂，一个孩子在蓝天下飞翔，用一本翻开的书做他飞翔的翅膀。很美好的一个想象——书给了孩子飞翔的翅膀。一个拥有翅膀的孩子该是多么幸福和满足哦！

愿不愿意用这套书做你的翅膀呢？看看吧，它那么精美，有生动鲜艳的彩图，注上拼音可以帮助刚刚入学的你自主地阅读——捧着一本书，一个人独立地从头到尾把它读完，是一件多么自豪的事。更重要的是，这些书都是从很久很久之前，从我们的或十分遥远的国度流传至今的，被一代又一代的孩子读过、喜爱过、推崇过。

相信你不会错过的吧。那么，准备好了吗？我们一起飞翔吧！轻轻地闭上眼睛，张开双臂，深吸一口气——

从《秘密花园》《金银岛》和《神秘岛》出发，同

《会飞的教室》一起跟着《彼得·潘》在蓝天下翱翔，温润的《柳林风声》迎面拂过，在高高的蓝天上俯瞰《海底两万里》是多么的神奇和壮美哦，《水孩子》还友好地朝我们招了招手呢。《环游地球八十天》后，又经历了漫长的《一千零一夜》，我们认识了许多朋友：《小天使海蒂》、《长腿叔叔》，还有忧郁的《小王子》和可爱的《小公主》，大家一起找到了《老人与海》，发现了神秘的《绿野仙踪》，受到了感人至深的《爱的教育》，终于明白了《钢铁是怎样炼成的》。最后，我们降落在了温暖而宁静的《汤姆叔叔的小屋》，听不太帅的《好兵帅克》讲《安徒生童话》、《格林童话》、《列那狐的故事》……我们的《童年》有这些故事的陪伴真幸福哦！

（彭学军：著名儿童文学作家，二十一世纪出版社编辑。）

MU LU
目录

一　　阴差阳错高俅发迹 1

二　　九纹龙大闹史家村 10

三　　鲁提辖拳打镇关西 18

四　　花和尚大闹五台山 26

五　　花和尚大闹桃花村 35

六　　鲁智深火烧瓦罐寺 44

七　　鲁智深倒拔垂杨柳 50

八　　豹子头误入白虎堂 55

九　　林教头野猪林获救 62

十　　林教头风雪山神庙 68

十一　汴京城杨志卖刀 77

十二　取生辰纲晁盖聚群雄 85

十三　　吴用智取生辰纲 92

十四　　宋公明私放晁天王 100

MU LU
目录

十五	梁山泊义士尊晁盖	108
十六	宋江怒杀阎婆惜	115
十七	武二郎景阳冈打虎	121
十八	武松醉打蒋门神	129
十九	花荣大闹清风寨	136
二十	霹雳火夜走瓦砾场	142
二十一	黑旋风斗浪里白条	147
二十二	浔阳楼宋江题反诗	153
二十三	黑旋风沂岭杀四虎	159
二十四	宋公明三打祝家庄	168
二十五	吴用使时迁盗甲	174
二十六	攻曾头市晁天王归天	181
二十七	吴用智降玉麒麟	188
二十八	宋公明夜打曾头市	195

二十九　梁山泊英雄排座次 ⋯⋯⋯⋯⋯⋯ 203

三十　受招安征方腊，好汉尽散 ⋯⋯⋯⋯ 211

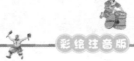

一 阴差阳错 高俅发迹

běi sòng zhé zōng nián jiān dōng jīng kāi fēng fǔ yǒu yí hù pò
北宋哲宗年间，东京开封府有一户破

bài rén jiā zǐ dì jiào gāo èr fā dá hòu gǎi míng gāo qiú tā
败人家子弟叫高二，发达后改名高俅。他

cóng xiǎo bú wù zhèng yè què néng tī yì jiǎo hǎo qiú nián qīng shí
从小不务正业，却能踢一脚好球。年轻时

yīn wèi jiāo yí gè yuán wài de ér zi xué huài gāo qiú bèi gào fā
因为教一个员外的儿子学坏，高俅被告发

bìng bèi fā fàng chū jiè dōng jīng chéng li de rén men dōu bù shōu
并被发放出界。东京城里的人们都不收

liú tā zuì zhōng tā bèi xiǎo wáng dū tài wèi liú zuò qīn suí zhè
留他，最终他被小王都太尉留做亲随。这

xiǎo wáng dū tài wèi shì zhé zōng huáng dì de mèi fu shén zōng huáng dì
小王都太尉是哲宗皇帝的妹夫，神宗皇帝

de nǚ xu yǒu yì tiān xiǎo wáng dū tài wèi qìng zhù shēng rì
的女婿。有一天，小王都太尉庆祝生日，

yàn qǐng le tā de xiǎo jiù duān wáng zhè duān wáng shì shén zōng tiān
宴请了他的小舅端王。这端王是神宗天

1

子第十一子，哲宗皇帝御弟。

那天端王来赴宴，喜欢上了一对羊脂玉碾成的镇纸狮子。王都尉见端王喜欢，就说道："还有一个玉龙笔架，也是这个匠人一手做的，明天取过来，派人一起送去。"

第二天，小王都太尉取出玉龙笔架和那对镇纸玉狮子，包好，派高俅给送去。高俅到时，端王正在踢球。也是高俅该发达，那个球腾起来，端王没接住，直滚到高俅身边。高俅使了个鸳鸯拐，把球踢还给端

王。端王很是惊喜，就问："你是什么人？"高俅一一说了。

端王就让高俅下场踢球，才踢了几脚，端王看了直喝彩。于是高俅就把平生的本事都使出来，奉承端王，端王非常高兴。第二天，端王专门请王都尉到宫中赴宴，把高俅要了，留在自己府中。

高俅从此跟随端王，寸步不离。不到两个月，哲宗皇帝死了，端王被册立为新天子，立帝号为徽宗。

高俅一步登天，不到半年便做了殿帅府太尉，掌管天下兵马。高俅选择了良辰

吉日到殿帅府上任。所有下属官吏、将领都前来参拜祝贺，只有八十万禁军教头王进因病没去。高俅大怒，以为王进装病，

下令将王进传来，大骂一顿。王进这才认出这高殿帅就是东京街头的无赖高二，以前曾被父亲一棒打得三四个月下不了床。王进回到家中，思前想后，怕高二报复，决定还是走为上计，于是连夜收拾行李，天不亮就和母亲起程投奔延安府老种经略相公。

wáng jiào tóu mǔ zǐ liǎ yí lù fēng chén pú pú de zǒu le yí
王教头母子俩一路风尘仆仆地走了一

gè duō yuè　　yì tiān　　mǔ zǐ èr rén zhǐ gù máng zhe gǎn lù
个多月。一天，母子二人只顾忙着赶路，

cuò guò le zhù sù de dì fang　zhǐ hǎo tóu sù zài yì suǒ dà zhuāng
错过了住宿的地方，只好投宿在一所大庄

yuàn li　zhuāng zhǔ shì wèi nián jìn liù xún　hú xū hé tóu fa dōu
院里。庄主是位年近六旬、胡须和头发都

bái le de lǎo bó　　lǎo bó fēi cháng rè qíng hào kè　mǎ shàng fēn
白了的老伯。老伯非常热情好客，马上吩

fù bǎi fàn kuǎn dài　liú tā men zài kè fáng zhù xià
咐摆饭款待，留他们在客房住下。

dì èr tiān yì zǎo　wáng jìn mǔ qīn de xīn téng bìng fàn le
　第二天一早，王进母亲的心疼病犯了，

qǐ bu liǎo chuáng　tā men zhǐ dé tíng zhǐ gǎn lù
起不了床，他们只得停止赶路。

wǔ liù tiān hòu　wáng jìn mǔ qīn de bìng cái jiàn jiàn hǎo le
　五六天后，王进母亲的病才渐渐好了。

wáng jìn qù hòu yuàn qiān mǎ zhǔn bèi shàng lù shí　kàn jiàn yí gè shí
王进去后院牵马准备上路时，看见一个十

bā jiǔ suì de xiǎo huǒ zi　guāng zhe shàng shēn　zhèng zài wǔ gùn
八九岁的小伙子，光着上身，正在舞棍。

5

那小伙子胸前背后刺满了青龙花纹。王进看了一会儿，不觉失口说道："这棒也算使得不错了，只是还有些破绽。"

小伙子一听，气愤地问道："你是什么人？敢来笑话我？你敢与我比试吗？"

话音还没落，老伯赶到，教训那年轻人说："不能对客人无礼！"又问王进："客人想必会使枪棒？"王进答道："稍微懂一些罢了，这年轻人是谁呀？"老伯说："是我的儿子。"王进说："既然是老伯的儿子，我愿意点拨他一下。"老伯听了很高兴，便叫儿子拜王进为师。

这小伙子哪里肯拜，不服气地要和王进比试，把一条棒使得像风车似的转。

王进怕伤了他，只是站在那儿笑，不肯动手。那老伯对王进说道："你尽管使棒吧，不要紧，若是折断了手脚，也是他自作自受。"王进听了这话，才从枪架上拿了一条棒，到空地里使了个旗鼓架式。那小伙子看了，拿着棒直扑过来。王进拖了棒便走，那小伙子抡着棒又赶过来。这时，王进猛地一回身，把棒往空地里劈下来。那

xiǎo huǒ zi jiàn bàng pī lái　máng yòng bàng lái dǎng　shéi zhī wáng jìn
小伙子见棒劈来，忙用棒来挡。谁知王进

què bù dǎ xià qù　jiāng bàng yì chōu　wǎng tā xiōng qián zhí tǒng guò
却不打下去，将棒一抽，往他胸前直捅过

qù　zhǐ yí xià biàn jiāng zhè nián qīng rén dǎ de diē dǎo zài dì
去，只一下便将这年轻人打得跌倒在地。

　　zhè xià　nián qīng rén xīn fú kǒu fú　　lì jí pá qǐ lái
　　这下，年轻人心服口服，立即爬起来

ná le bǎ dèng zi qǐng wáng jìn zuò　rán hòu guì dǎo zài dì xiàng wáng
拿了把凳子请王进坐，然后跪倒在地向王

jìn bài dào　　wǒ wǎng bài le xǔ duō shī fu　jì yì què hái shi
进拜道："我枉拜了许多师父，技艺却还是

zhè yàng　qǐng shī fu shōu wǒ wéi tú　wáng jìn tīng le　máng fú
这样，请师父收我为徒。"王进听了，忙扶

qǐ tā shuō　　wǒ hé wǒ niáng liǎng rén zài fǔ shang dǎ jiǎo nǐ men
起他说："我和我娘两人在府上打搅你们

zhè me cháng shí jiān le　zhèng bù zhī zěn me bào dá　wǒ yí dìng
这么长时间了，正不知怎么报答，我一定

huì jìn lì de
会尽力的。"

dāng xià   lǎo bó máng gāo xìng de shè yàn zhāo dài wáng jìn mǔ
当下，老伯忙高兴地设宴招待王进母

zǐ   wáng jìn yě jiù shuō le zì jǐ yuán lái shì bā shí wàn jìn
子。王进也就说了自己原来是八十万禁

jūn de jiào tóu yǐ jí zì jǐ zhī suǒ yǐ fēng chén pú pú gǎn lù
军的教头，以及自己之所以风尘仆仆赶路

de yuán yīn   bìng biǎo shì yuàn yì hǎo hāo jiāo nà nián qīng rén wǔ gōng
的原因，并表示愿意好好教那年轻人武功。

lǎo bó yě gào su tā zhè xiǎo huǒ zi yuán lái jiào shǐ jìn cóng xiǎo
老伯也告诉他这小伙子原来叫史进，从小

ài nòng qiāng shǐ bàng   yīn wèi jiān bì xiōng táng gòng cì le jiǔ tiáo
爱弄枪使棒，因为肩臂胸膛共刺了九条

lóng suǒ yǐ quán xiàn rén dōu jiào tā jiǔ wén lóng shǐ jìn cǐ hòu
龙，所以全县人都叫他九纹龙史进。此后，

wáng jìn biàn liú zài zhuāng shang xī xīn jiāo shòu shǐ jìn wǔ yì
王进便留在庄上悉心教授史进武艺。

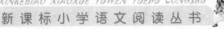

二 九纹龙
大闹史家村

　　光阴似箭，转眼半年过去了。在王进的尽心指教下，史进将十八般武艺学得稔熟。王进见他学熟了，就辞别史老伯父子，和母亲一路赶往延安府去了。

　　半年之后，史老伯得急病去世。史进安葬了父亲后，不管家业，每天只知道骑马射箭，到处找人比试武功。

　　六月的一天，史进听少华山猎户李吉说，少华山上驻扎了一伙山贼，为首的叫神机军师朱武，第二个叫跳涧虎陈达，第三个叫做白花蛇杨春。他们四处打家劫舍，吓得大家都不敢上山打猎。

史进听后，怕这些山贼到史家村劫掠，便杀了肥牛，备下好酒，召集庄户们商议，让大家各自整顿好刀马，修整门户，以击梆为号，提防贼寇。

这天，少华山寨中的三个头领也在商议事情。朱武对陈达和杨春说："如今华阴县里悬赏捉拿我们。我们要想办法囤些粮食，以备不测。"

陈达提议说:"我们就去华阴县里,向他们借粮,看他们能怎么样。"朱武和杨春有些忌惮九纹龙史进,便劝阻陈达说:"华阴县虽然有很多钱和粮食,但必须经过史家村,那个九纹龙史进是个不好惹的角色,不如去蒲城县吧。"陈达不听,当即穿戴整齐,跨上马,带上一百四五十个小兵,鸣锣擂鼓,直奔史家村。

史进知道后,集合了庄上的三四百人,准备迎敌。史进提了刀,骑上马,前面站着三四十个健壮的庄客,后面列着八九十个乡民;史家庄农户都跟在后头,一齐呐喊,直到村北路口。不一会儿,就看见陈达带领人马,飞奔而来。

两人一语不合,立即开战。只见他们

yì lái yì wǎng zuǒ pán yòu xuán zhàn de nán jiě nán fēn shǐ
一来一往，左盘右旋，战得难解难分。史

jìn gù yì lòu le gè pò zhàn ràng chén dá bǎ qiāng wǎng xīn wō li
进故意露了个破绽，让陈达把枪往心窝里

cì lái zhè shí tā bǎ yāo yì shǎn yì shēn shǒu jiù bǎ chén dá
刺来，这时，他把腰一闪，一伸手就把陈达

xié guò lái diū zài mǎ qián bǎng le
挟过来，丢在马前绑了。

huí dào zhuāng shang shǐ jìn jiāng chén dá bǎng zài zhù zi shang
回到庄上，史进将陈达绑在柱子上，

zhǐ děng zhuā qí sān gè zéi shǒu sòng dào guān fǔ lǐng shǎng
只等抓齐三个贼首，送到官府领赏。

zhū wǔ yáng chūn zài shān zhài li jí de xiàng rè guō shang de
朱武、杨春在山寨里急得像热锅上的

mǎ yǐ xiǎo bīng lái bào chén èr gē bèi jiǔ wén lóng shǐ jìn zhuā
蚂蚁，小兵来报："陈二哥被九纹龙史进抓

zhù le liǎng rén tīng le dà jīng zhū wǔ jí zhōng shēng zhì xiǎng
住了。"两人听了大惊。朱武急中生智，想

chū yì tiáo kǔ ròu jì hé yáng chūn lì kè xià shān qù jiù chén dá
出一条苦肉计，和杨春立刻下山去救陈达。

zhū wǔ yáng chūn yí jiàn shǐ jìn lì kè shuāng shuāng guì xià
朱武、杨春一见史进，立刻双双跪下，

kū zhe shuō wǒ men sān rén bèi guān si suǒ bī bù dé yǐ shàng
哭着说："我们三人被官司所逼，不得已上

shān luò cǎo wéi kòu dāng chū wǒ men sān rén céng fā shì bú yuàn
山落草为寇。当初我们三人曾发誓'不愿

tóng rì shēng zhǐ yuàn tóng rì sǐ jīn tiān chén dá mào fàn yǐ
同日生，只愿同日死'。今天陈达冒犯，已

bèi zhuō ná qǐng nǐ jiāng wǒ men sān rén yì qǐ jiāo guān qǐng shǎng
被捉拿。请你将我们三人一起交官请赏，

wǒ men jué bú zhòu méi wǒ men zhǐ qiú sǐ zài yīng xióng shǒu zhōng
我们决不皱眉。我们只求死在英雄手中，

bìng wú yuàn yán
并无怨言。"

shǐ jìn tīng hòu xiǎng tā men zhè me jiǎng yì qi wǒ ruò
史进听后，想：他们这么讲义气，我若

zhuō tā men jiāo guān qǐng shǎng qǐ bú bèi tiān xià hǎo hàn chǐ xiào
捉他们交官请赏，岂不被天下好汉耻笑！

自古道，"英雄惜英雄"，史进想到此，立即把陈达放了，并设宴将三人招待一番。

朱武他们非常感激，回山寨后，就常叫手下人送礼给史进，报答不杀之恩。史进也常备些礼物回送。从此之后，史进与朱武等三人来往频繁，成为好友。

时间过得很快，转眼中秋快到了，史进想约朱武他们在庄上饮酒赏月，就派人去送信。谁知那人回来时喝醉了，回信

bèi lǐ jí ná zǒu wèi le dé dào sān qiān shǎng qián lǐ jí xiàng
被李吉拿走，为了得到三千赏钱，李吉向

guān fǔ gào le mì
官府告了密。

zhōng qiū jiā jié de wǎn shang shǐ jìn yǔ zhū wǔ tā men zhèng
中秋佳节的晚上，史进与朱武他们正

zài yǐn jiǔ shǎng yuè shí zhǐ tīng jiàn qiáng wài hǎn shēng chōng tiān huǒ
在饮酒赏月时，只听见墙外喊声冲天，火

bǎ tōng míng yuán lái huà yīn xiàn xiàn wèi dài le liǎng gè dū tóu
把通明。原来华阴县县尉带了两个都头

hé sān sì bǎi gè shì bīng bǎ zhuāng yuàn tuán tuán wéi zhù le   liǎng
和三四百个士兵把庄院团团围住了。两

gè dū tóu hái zài qiáng wài dà jiào   bú yào ràng qiáng dào pǎo le
个都头还在墙外大叫："不要让强盗跑了！"

shǐ jìn xīn zhōng jiào kǔ ér zhū wǔ sān rén yě bú yuàn lián
史进心中叫苦，而朱武三人也不愿连

lèi shǐ jìn ràng shǐ jìn jiāng tā men bǎng qǐ lái jiāo guān shǐ jìn
累史进，让史进将他们绑起来交官。史进

见状，不由得大声说道："我史进要与你们同生共死。"说完收拾财物，披挂停当，放火烧了庄院，打开庄门，杀了出来。史进当头，一刀将李吉斩为两段；陈达、杨春将两个都头一人一刀，结果了他们的性命。官兵抵挡不住，史进他们冲出来后向少华山去了。

三 鲁提辖拳打镇关西

　　史进在少华山住了几天后，就辞别朱武他们，下山去寻找师父王进。半个月后，他来到渭州，走进一个茶馆里，向店小二打听经略府中有没有师父的下落。

　　这时，一个长着络腮胡子的大汉走了进来，这人身高八尺，长得虎背熊腰、方头大耳。店小二指着那位大汉对史进说："你要找王教头，问他就知道了。"史进忙起身施礼，那大汉便还礼坐了。史进向他打听

hòu dé zhī yuán lái zhè rén shì jīng lüè fǔ tí xiá jiào lǔ dá
后，得知原来这人是经略府提辖，叫鲁达；

bìng qiě zhī dào le shī fu wáng jìn zài yán ān jīng lüè fǔ rèn zhí
并且知道了师父王进在延安经略府任职，

ér bú zài wèi zhōu háo shuǎng de lǔ dá shuō jiǔ yǎng shǐ jìn dà
而不在渭州。豪爽的鲁达说久仰史进大

míng yāo tā yì qǐ shàng jiē hē jiǔ qù
名，邀他一起上街喝酒去。

liǎng rén zǒu chū chá guǎn lái dào jiē shang qià qiǎo pèng dào
两人走出茶馆，来到街上，恰巧碰到

shǐ jìn de dì yī gè shī fu dǎ hǔ jiàng lǐ zhōng lǔ dá biàn
史进的第一个师父，打虎将李忠。鲁达便

lā le lǐ zhōng hé tā men yì qǐ dào pān jiā jiǔ lóu qù hē jiǔ
拉了李忠，和他们一起到潘家酒楼去喝酒。

sān rén jiǔ xìng zhèng nóng hū rán tīng dào gé bì yǒu rén tí
三人酒兴正浓，忽然听到隔壁有人啼

kū lǔ dá bèi chǎo de bú nài fán jiāo zào de bǎ dié zi hé
哭。鲁达被吵得不耐烦，焦躁地把碟子和

bēi zi shuāi zài lóu bǎn shang dà mà jiǔ bǎo jiǔ bǎo máng jiě shì
杯子摔在楼板上，大骂酒保。酒保忙解释

说：“隔壁的是卖唱的父女俩，因为感怀身世才啼哭。”鲁达说道：“这倒奇怪！把他们叫过来。”不一会儿，酒保带来了两个人，一个是十八九岁的女子，后面跟着一个五六十岁的老头，手里拿着串拍板。那女子虽然说不上十分美丽，却也有些动人。

鲁达问他们道：“你们是哪里人？为什么哭？”那女子回答说：“我是东京人，同父母到渭州投奔亲戚，不料亲戚已经搬走了。母亲又不幸在客店得病去世了，我们父女二人只好流落到这里。后来镇关西

硬逼我为妾，可不到三个月又把我赶了出来，还要我给他赎身钱三千贯。当初并没有拿他一文钱，如今哪有钱给他？没办法，只好每日到酒楼里卖唱，赚来的钱大多给了他。这两天酒客少，没赚到钱给他，怕他来侮辱我们，一时伤心，这才哭了起来，搅了几位大人的酒兴，望大人们不要见怪。"

鲁达听了大怒，问清了他们的姓名、住处以及镇关西的来头。原来老头姓金，女儿叫翠莲，而那镇关西就是状元桥下卖肉的一个姓郑的屠夫，绰号"镇关西"。鲁

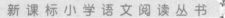

dá tīng hòu fēi cháng shēng qì　dāng xià yǔ shǐ jìn còu zú shí wǔ liǎng
达听后非常生气，当下与史进凑足十五两

yín zi jiāo gěi jīn lǎo hàn zuò pán chan　ràng tā men dì èr tiān jiù
银子交给金老汉做盘缠，让他们第二天就

huí dōng jīng qù　bìng jué dìng qīn zì qù sòng tā men
回东京去，并决定亲自去送他们。

　　dì èr tiān tiān gāng liàng　lǔ dá jiù dào le jīn lǎo hàn fù
　　第二天天刚亮，鲁达就到了金老汉父

nǚ zhù de diàn li　bǎ fù nǚ liǎ sòng zǒu　gū jì tā men yǐ
女住的店里，把父女俩送走，估计他们已

zǒu yuǎn le　cái qǐ shēn zhí bèn zhuàng yuán qiáo zhǎo zhèng tú fū qù le
走远了，才起身直奔状元桥找郑屠夫去了。

　　lǔ dá dào dá zhuàng yuán qiáo de shí hou　zhèng tú fū zhèng zài
　　鲁达到达状元桥的时候，郑屠夫正在

ròu pù kàn huǒ ji mài ròu　lǔ dá gù yì diāo nàn tā　yào shí
肉铺看伙计卖肉。鲁达故意刁难他，要十

jīn chún shòu ròu　shí jīn chún féi ròu　fēn bié duò chéng ròu mò　bìng
斤纯瘦肉，十斤纯肥肉，分别剁成肉末，并

ràng zhèng tú fū qīn zì duò　zhè èr shí jīn ròu duò hǎo shí yǐ
让郑屠夫亲自剁。这二十斤肉剁好时已

经到了中午。

鲁达却又说：

"再要十斤软
骨，也要细细
地剁成臊子，
不能有一点肉

在上面。"郑屠夫赔笑着说："你是故意来
消遣我的吧？"鲁达听罢，跳起来说："我
就是要消遣你。"拿起那两包臊子朝郑屠
夫的脸上扔去，像下了一阵肉雨似的。

郑屠夫只觉得一股无明火直冲脑门
儿，他气得右手拿起一把刀，左手便来揪
鲁达。鲁达就势按住他的左手，接着往他
的小腹上踢了一脚，把郑屠夫踢倒在街上。
鲁达又上前一步，踏住郑屠夫的胸脯，抢

起拳头，看着郑屠夫说："你是个卖肉的屠户，狗一样的人，也敢叫做镇关西！你如何骗了金翠莲？"扑的一拳，正好打在郑屠夫的鼻子上。

郑屠夫顿时鼻血直流，连声求饶。鲁达却毫不留情地又一拳，这回正打中太阳穴，只见郑屠夫躺在地上，口里只有出的气，没有进的气，脸色也渐渐变了。鲁达见真把郑屠夫打死了，决定走为上计。他指着郑屠夫，假意说："你装死，我慢慢再

和你算账！"他边骂边大踏步走了。街坊
邻居和郑屠夫家的伙计没一个人敢拦他。

鲁达回到住处，急忙收拾了几件衣服，
带了些盘缠，提一条齐眉短棍，一溜烟跑了。

郑屠夫在当天一命呜呼，他的家人邻
居忙到州衙告状。府尹派人到鲁达住处
捉拿，但鲁达已经逃跑了。府尹只得悬赏
追捕鲁达，画了他的模样，到处张贴。

鲁达只顾匆忙赶路，不问方向，半个
月后，来到了山西代州雁门县。一天，他
正挤在人群里看捉拿自己的榜文时，碰巧
遇到在渭州酒楼被他救了的金老汉，原来
翠莲到此地后嫁给了一个大财主赵员外。
一家人念念不忘鲁达的大恩，执意留鲁达
在庄上住下了。

25

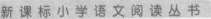

四 花和尚
大闹五台山

　　俗话说："世上没有不透风的墙。"鲁达在赵员外庄上住了六七天后，便有几个公差来打听鲁达。为了避难，鲁达在赵员外的保荐下，到五台山上的文殊院当了和尚，法名智深。

　　鲁智深哪里受得了和尚们的清规戒律，一到晚上他就睡得鼾声如雷；夜里起来解手，就在佛殿后面撒尿屙屎，遍地都是。他这样无礼，和尚们忍无可忍，禀告

zhǎng lǎo shuō　　　zhì shēn hǎo wú lǐ　　yì diǎn er yě méi yǒu chū jiā
长老说:"智深好无礼,一点儿也没有出家

rén de guī ju　sì li zěn néng shōu róng zhè zhǒng rén　　zhǎng lǎo
人的规矩,寺里怎能收容这种人?"长老

hē chì dào　　hú shuō　tā yǐ hòu huì gǎi guò de　cóng cǐ
呵斥道:"胡说!他以后会改过的。"从此

méi yǒu rén gǎn zài shuō
没有人敢再说。

lǔ zhì shēn zài wǔ tái shān sì zhōng　bù zhī bù jué yǐ jīng
鲁智深在五台山寺中,不知不觉已经

zhù le sì wǔ gè yuè　yì tiān　tiān qì qíng lǎng　tā zǒu dào
住了四五个月。一天,天气晴朗,他走到

bàn shān tíng zi shang　jiǔ yǐn fā zuò le　zhèng zài zhè shí zhǐ jiàn
半山亭子上,酒瘾发作了。正在这时只见

yuǎn yuǎn yí gè rén tiāo zhe tǒng　biān zǒu biān chàng　yě lái dào tíng
远远一个人挑着桶,边走边唱,也来到亭

zi li xiē xi　lǔ zhì shēn wèn nà rén　　nǐ tǒng li shì shén
子里歇息。鲁智深问那人:"你桶里是什

me dōng xi　　nà rén huí dá shuō　　hǎo jiǔ　lǔ zhì shēn xiǎng
么东西?"那人回答说:"好酒。"鲁智深想

要买酒喝，便问："多少钱一桶？"那人却说："我这酒只卖给寺里干活的人，如果卖给寺里的和尚，就要被寺里追回本钱，赶出屋去。所以不能卖给你。"

鲁智深问："真的不卖？"那人说："杀了我也不卖！"鲁智深说："我不杀你，只是向你买酒喝。"

那人见势不妙，挑了担子便走。鲁智深走下亭子，双手拿住扁担，一脚把那人踢倒在地，半天起不来。鲁智深把两桶酒拎到亭子里，一会儿便喝光一桶，并说："你明天到寺里去要钱。"那人听了，挑上担子，飞也似的下山去了。

鲁智深在亭子里坐了半天，酒劲上来了，便把上衣脱下缠在腰里，光着膀子，东

dǎo xī wāi de shàng shān
倒西歪地上山

qù le liǎng gè kān
去了。两个看

mén hé shang jiàn tā hē
门和尚见他喝

de làn zuì lán zhù
得烂醉，拦住

tā bú ràng shàng shān
他不让上山。

lǔ zhì shēn dà nù
鲁智深大怒，

huī quán jiù bǎ tā men
挥拳就把他们

dǎ dǎo le tā yáo yáo huàng huàng de zǒu jìn sì li yòu jiàn jiān
打倒了。他摇摇晃晃地走进寺里，又见监

sì dài huǒ gōng děng èr sān shí rén shǒu ná gùn bàng lái lán tā
寺带火工等二三十人，手拿棍棒来拦他，

tā duó le yì gēn mù bàng dǎ de nà èr sān shí rén wú chù duǒ
他夺了一根木棒，打得那二三十人无处躲

cáng zhè shí zhǎng lǎo wén xùn gǎn dào hè tuì le lǔ zhì shēn
藏。这时长老闻讯赶到，喝退了鲁智深。

cǐ hòu lǔ zhì shēn sān sì gè yuè méi yǒu chū sì mén
此后，鲁智深三四个月没有出寺门。

yǒu yì tiān tiān qì yán rè lǔ zhì shēn biàn qǔ xiē yín liǎng lái
有一天，天气炎热，鲁智深便取些银两，来

dào yí gè jí shì shang tā zǒu jìn yí gè tiě jiang pù ràng rén
到一个集市上。他走进一个铁匠铺，让人

gěi tā dǎ yì gēn liù shí èr jīn zhòng de shuǐ mó chán zhàng hé yì
给他打一根六十二斤重的水磨禅杖和一

30

bǎ jiè dāo
把戒刀。

suí hòu lǔ zhì shēn lí kāi tiě jiang pù zhí bèn jiǔ diàn
随后，鲁智深离开铁匠铺，直奔酒店。

yí jìn mén tā jiù qiāo zhe zhuō zi jiào ná jiǔ lái dàn zhè
一进门他就敲着桌子叫："拿酒来！"但这

jí shì zhōng de jiǔ diàn dōu shì sì li de fáng zi suǒ yǐ tā
集市中的酒店都是寺里的房子。所以他

lián zǒu sān wǔ jiā jiǔ diàn dōu méi rén gǎn mài jiǔ gěi tā lǔ
连走三五家酒店，都没人敢卖酒给他。鲁

zhì shēn xīn shēng yí jì lái dào yí gè kào jìn cūn zhuāng de xiǎo jiǔ
智深心生一计，来到一个靠近村庄的小酒

diàn zhuāng zuò guò lù sēng rén de yàng zi xué zhe wài dì kǒu yīn
店，装作过路僧人的样子，学着外地口音

mǎi jiǔ hē yì lián hē le shí jǐ wǎn jiǔ hòu lǔ zhì shēn tū
买酒喝。一连喝了十几碗酒后，鲁智深突

rán wén dào yí zhèn ròu xiāng zhǐ jiàn qiáng biān shā guō li zhǔ zhe gǒu
然闻到一阵肉香，只见墙边砂锅里煮着狗

ròu lǔ zhì shēn wèn dào nǐ jiā yǒu gǒu ròu wèi shén me bú
肉。鲁智深问道："你家有狗肉为什么不

卖给我吃？"店主忙回答说："你是出家人，我怕你不吃狗肉。"鲁智深拿出银子说："你卖半只给我！"那店主忙取一大块熟狗肉，放在鲁智深面前。鲁智深高兴地用手扯那狗肉，蘸着蒜泥吃。一口气又喝了十来碗酒，还剩下一条狗腿，鲁智深把它揣在怀里，往五台山去了。

鲁智深在半山的亭子里坐了一会儿，酒劲上来了，他跳起身，捋起袖子，一拳打在亭子柱上，只听刮剌剌一声响，亭子柱被打折，半边亭子倒塌了。

鲁智深摇摇晃晃地到了山门下，抡起拳头擂鼓似的敲门，看门和尚哪里敢开门。鲁智深扭过身，看见左边握着拳头的金刚，极为不爽，便跳上台基，拿起一根木头就往金刚腿上打。他转过身，看着右边张着大口的金刚，更是有气，又往那金刚脚上打了两下。只听轰的一声响，那尊金刚从台基上倒了下来。鲁智深在门外撒泼，长老也不出面制止，看门和尚只好把门打开了。鲁智深进入寺院后，还是胡闹，又是吃狗肉，又是打众僧人，一直打到法堂下，才被长老喝住。这时，鲁智深酒也醒了七八分。

　　长老见鲁智深上次大醉闹僧堂，这次又大醉，打坏金刚，塌了亭子，闹了选佛场，五台山已难以容身。第二天，长老便写了一封信，叫鲁智深去投奔东京大相国寺做住持的师弟智清禅师。于是，鲁智深拜别长老，到山下集镇铁匠铺，取了戒刀，提了禅杖，往东京去了。

五

花和尚
大闹桃花村

lǔ zhì shēn lí kāi wǔ tái shān   yí lù xiàng dōng jīng xíng qù
鲁智深离开五台山，一路向东京行去。

zhè tiān tiān sè yǐ jīng hěn wǎn le   lǔ zhì shēn méi gǎn dào
这天天色已经很晚了，鲁智深没赶到

kè diàn   zhǐ dé tóu sù zài yì suǒ zhuāng yuàn li   zhuāng li fēi
客店，只得投宿在一所庄院里。庄里非

cháng rè nao   lǔ zhì shēn yì dǎ tīng   yuán lái zhuāng zhǔ liú lǎo bó
常热闹，鲁智深一打听，原来庄主刘老伯

de nǚ ér bèi táo huā shān shān zéi kàn zhòng   yào qiáng zhàn wéi qī
的女儿被桃花山山贼看中，要强占为妻，

jīn tiān wǎnshang jiù yào lái qiáng xíng yíng qǔ   lǔ zhì shēn tīng le
今天晚上就要来强行迎娶。鲁智深听了

biàn zhí yì yào bāng máng zǔ zhǐ
便执意要帮忙阻止。

jiǔ zú fàn bǎo zhī hòu   lǔ zhì shēn jiào rén jiāng bāo guǒ xiān
酒足饭饱之后，鲁智深叫人将包裹先

fàng dào fáng li   zì jǐ tí le chán zhàng   dài le jiè dāo   rán hòu
放到房里，自己提了禅杖，带了戒刀，然后

zài liú lǎo bó de zhǐ yǐn xià zǒu jìn le xīn fáng　lǔ zhì shēn
在刘老伯的指引下走进了新房。鲁智深

bǎ fáng zhōng zhuō yǐ dōu bān dào yì biān　jiāng jiè dāo fàng zài chuáng
把房中桌椅都搬到一边，将戒刀放在床

tóu　chán zhàng yǐ zài chuáng biān　fàng xià zhàng zi　tuō guāng yī fu
头，禅杖倚在床边，放下帐子，脱光衣服，

tiào shàng chuáng qù
跳上床去。

tiān hēi hòu　zhuāng
天黑后，庄

li　dēng huǒ huī huáng
里灯火辉煌。

méi guò duō jiǔ　zhǐ jiàn
没过多久，只见

yuǎn yuǎn de sì wǔ shí
远远的四五十

gè huǒ bǎ　yí cù rén
个火把，一簇人

mǎ cháo zhuāng shang fēi bēn ér lái
马朝庄上飞奔而来。

nà dài wang lái dào zhuāng qián xià le mǎ　liú lǎo bó huāng
那大王来到庄前下了马，刘老伯慌

máng qīn zì pěng lái bēi zhǎn　zhēn xià yì bēi hǎo jiǔ　guì zài dì
忙亲自捧来杯盏，斟下一杯好酒，跪在地

shang yíng jiē　nà dài wang fú qǐ liú lǎo bó shuō　nǐ shì wǒ
上迎接。那大王扶起刘老伯说："你是我

de lǎo zhàng ren　zěn me néng duì wǒ guì ne　tā hē le xiē
的老丈人，怎么能对我跪呢？"他喝了些

jiǔ　dài zhe qī fēn dé yì　sān fēn zuì yì　zài liú lǎo bó de
酒，带着七分得意，三分醉意，在刘老伯的

zhǐ yǐn xià xiàng xīn fáng zǒu qù
指引下向新房走去。

nà dài wang tuī kāi fáng mén　　jiàn lǐ miàn hēi hū hū de
那大王推开房门，见里面黑乎乎的，

zhǐ hǎo mō jìn fáng zhōng　yì biān zǒu yì biān jiào　　fū rén　nǐ
只好摸进房中，一边走一边叫："夫人，你

wèi shén me bù chū lái jiē wǒ　nǐ bú yào pà xiū　míng tiān nǐ
为什么不出来接我？你不要怕羞，明天你

jiù shì wǒ de yā zhài fū rén le　tā yí lù mō le guò lái
就是我的压寨夫人了。"他一路摸了过来，

mō zháo zhàng zi　biàn jiē qǐ lái　shēn jìn qù yì zhī shǒu　méi xiǎng
摸着帐子，便揭起来，伸进去一只手，没想

dào mō dào le lǔ zhì shēn de dù pí　bèi lǔ zhì shēn yì bǎ jiū
到摸到了鲁智深的肚皮，被鲁智深一把揪

zhù　zhuài xià chuáng lái　　lǔ zhì shēn yí dùn quán dǎ jiǎo tī　dǎ
住，拽下床来。鲁智深一顿拳打脚踢，打

de dài wang zhí jiào jiù mìng　tīng jiàn jiào shēng　liú lǎo bó huāng máng
得大王直叫救命。听见叫声，刘老伯慌忙

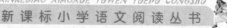
ná zhe dēng zhú　　líng zhe zhòng rén yì qí jìn lái　　nà dài wang chèn
拿着灯烛，领着众人一齐进来，那大王趁

zhe tiān hēi hùn luàn　huāng máng táo zǒu le
着天黑混乱，慌忙逃走了。

liú lǎo bó shēn
刘老伯深

pà lǔ zhì shēn bāng
怕鲁智深帮

le dào máng　chě zhù
了倒忙，扯住

lǔ zhì shēn shuō　　hé
鲁智深说："和

shang　nǐ hài kǔ le
尚，你害苦了

wǒ lǎo hàn yì jiā
我老汉一家。"

lǔ zhì shēn chuān hǎo
鲁智深穿好

yī fu　　ān wèi tā men bú yào hài pà　shuō　　bié shuō zhǐ yǒu
衣服，安慰他们不要害怕，说："别说只有

zhè liǎng gè rén　jiù shì yǒu yì liǎng qiān jūn mǎ lái　wǒ yě bú
这两个人，就是有一两千军马来，我也不

pà　nǐ men bú xìn　tí ti wǒ de chán zhàng kàn yí xià　kě
怕。你们不信，提提我的禅杖看一下。"可

tā men nǎ lǐ tí de dòng　lǔ zhì shēn jiē guò lái què xiàng niān dēng
他们哪里提得动，鲁智深接过来却像拈灯

cǎo yí yàng shǐ qǐ lái　dà jiā zhè cái xìn le　liú lǎo bó yě
草一样使起来。大家这才信了，刘老伯也

jiù fàng xià xīn lái
就放下心来。

huà shuō zhè táo huā shān dà tóu lǐng zuò zài zhài li zhèng yào
话说这桃花山大头领坐在寨里，正要

pài rén xià shān dǎ ting xiāo xi ne què jiàn èr tóu lǐng láng bèi de
派人下山打听消息呢，却见二头领狼狈地

huí lái xià mǎ dǎo zài tīng qián kǒu li zhí hǎn dà gē jiù
回来，下马倒在厅前，口里直喊："大哥救

wǒ dà tóu lǐng máng wèn zěn me la èr tóu lǐng bǎ
我。"大头领忙问："怎么啦？"二头领把

zhuāng shang zhī shì shuō le yí biàn dà tóu lǐng tīng wán hòu qí
庄上之事说了一遍。大头领听完后，骑

shàng mǎ lǐng zhe zhòng rén yì qí nà hǎn xià shān zhǎo lǔ zhì shēn
上马，领着众人一齐呐喊，下山找鲁智深

suàn zhàng qù le
算账去了。

zài shuō lǔ zhì shēn zhèng zài hē jiǔ li zhuāng kè shuō shān
再说鲁智深正在喝酒哩，庄客说："山

shang dà tóu lǐng dài zhe zhòng rén lái le lǔ
上大头领带着众人来了。"鲁

zhì shēn tīng le kuà le jiè dāo tí le
智深听了，挎了戒刀，提了

chán zhàng dà tà bù lái dào dǎ mài
禅杖，大踏步来到打麦

cháng shang èr rén jiào mà zhe
场上。二人叫骂着

zhèng yào dòng shǒu shí dà
正要动手时，大

tóu lǐng fā jué hé shang shēng
头领发觉和尚声

yīn hěn shú yí wèn zhī xià
音很熟，一问之下，

才知道二人原本认识。原来这大头领正是江湖上使枪棒卖药的教头打虎将李忠。

鲁智深和李忠来到厅上叙旧。鲁智深从头至尾说了一遍自己的遭遇，李忠听后，也讲了自己这些日子的经历，接着说："刚才被打的那人在这桃花山扎寨，叫做小霸王周通。因为打不过我，就留我在山上做了寨主。"

鲁智深听了说："既然这样，刘庄主这门亲事也不要再提了。他只有这一个女儿，还要养老呢！"刘老伯听了非常高兴，忙安排酒食，款待他们。李忠邀请鲁智深去小寨住些日子，顺便让刘庄主也走一趟。

大家来到山上，李忠向周通介绍了先前打他的和尚便是三拳打死镇关西的鲁

zhì shēn　　zhōu tōng bǎ tóu mō yì mō　jiào shēng　āi yā
智深。周通把头摸一摸，叫声："哎呀！"
fān shēn biàn bài　　lǔ zhì shēn gǎn máng dá lǐ
翻身便拜。鲁智深赶忙答礼。

　　sān rén zuò dìng　lǔ zhì shēn biàn quàn zhōu tōng tuì le hūn shì
　　三人坐定，鲁智深便劝周通退了婚事，
zhōu tōng dā ying le　　liú lǎo bó bài xiè hòu　huí zhuāng qù le
周通答应了。刘老伯拜谢后，回庄去了。

　　lǐ zhōng　zhōu tōng shā niú zǎi mǎ　ān pái yán xí　kuǎn
　　李忠、周通杀牛宰马，安排筵席，款
dài lǔ zhì shēn　zhù le jǐ tiān　lǔ zhì shēn jué de lǐ zhōng
待鲁智深。住了几天，鲁智深觉得李忠、
zhōu tōng bú shì kāng kǎi zhī rén　biàn jué dìng xià shān　lǐ zhōng
周通不是慷慨之人，便决定下山。李忠、
zhōu tōng jiàn wǎn liú bu zhù　　yú shì xǔ nuò dì èr tiān xià shān
周通见挽留不住，于是许诺第二天下山
jié xiē cái wù sòng gěi lǔ zhì shēn dàng lù fèi　dì èr tiān
劫些财物送给鲁智深当路费。第二天，

李忠、周通下山去了，只留一两个人招呼
鲁智深喝酒。

鲁智深心想："这两个人太小气了，这
里放着这么多金银不送给我，却要去打劫
别人的送给我。我要让他们吃一惊。"于
是他两拳将服侍他的人打倒在地，拿了桌
上的金银酒器，放在包里；挎了戒刀，提了
禅杖，顶了衣包，便出寨了。为避免撞上李

忠他们，他从山后乱草间滚了下去，毫发无伤地走了。

等到李忠、周通劫得财物回来时，哪里找得到鲁智深，只好算了。从此，二人照旧在桃花山过着打劫的生活。

鲁智深离开了桃花山，放开脚步，从早晨一直走到午后，又累又饿，就想找个地方休息一下，吃点东西。这时突然听到远处有铃声，便朝着那铃声传来的方向走去。

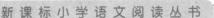

六 鲁智深
火烧瓦罐寺

鲁智深走过几个山坡，沿着一条山路来到一座破寺院，见那寺门上写着"瓦罐之寺"。鲁智深推门进去，只见偌大的一个寺院寥落不堪，寺里只有几个面黄肌瘦的老和尚。

鲁智深细问之下，才知这古寺被一个云游和尚和一个道士毁坏了，寺里的僧人都被赶出去了，他们几个老的走不动，只好留在这里，受那恶僧和道士的欺凌，经

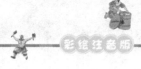

cháng méi fàn chī
常没饭吃。

zhè shí lǔ zhì shēn wén dào yí zhèn xiāng wèi yuán lái shì
这时，鲁智深闻到一阵香味，原来是

jǐ gè lǎo hé shang zài zhǔ yì guō sù mǐ zhōu lǔ zhì shēn běn
几个老和尚在煮一锅粟米粥。鲁智深本

xiǎng qiǎng lái chī dàn jiàn jǐ gè lǎo hé shang shí zài tài kě lián le
想抢来吃，但见几个老和尚实在太可怜了，

jiù bù chī le kě dù zi è de gū gū zhí jiào
就不吃了，可肚子饿得"咕咕"直叫。

zhè shí tū rán tīng dào wài miàn yǒu rén zài chàng gē lǔ
这时，突然听到外面有人在唱歌，鲁

zhì shēn biàn tí le chán zhàng chū lái zhǐ jiàn yí gè dào ren tiāo
智深便提了禅杖出来，只见一个道人，挑

zhe yí fù dàn zi lǐ miàn yǒu yú ròu hé yì tán jiǔ biān zǒu
着一副担子，里面有鱼、肉和一坛酒，边走

biān chàng nà dào shi lái dào sì yuàn li bǎ nà jǐ gè lǎo hé
边唱。那道士来到寺院里，把那几个老和

shang gǎn le chū lái rán hòu jìn le hòu yuàn
尚赶了出来，然后进了后院。

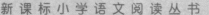
老和尚悄悄地对鲁智深说："就是这个道人。"

鲁智深便提着禅杖，随后跟去。跟到里面，看见绿槐树下放着一张桌子，旁边还坐着一个满身横肉的胖和尚和一个年轻的女子。

鲁智深走到他们面前质问，那和尚吃了一惊，却又恶人先告状，说是那几个老和尚的不是。鲁智深回去问明老和尚后，再返回后院时，那门已关上了。

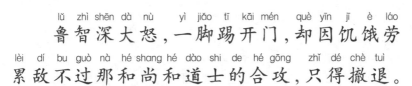

鲁智深大怒，一脚踢开门，却因饥饿劳累敌不过那和尚和道士的合攻，只得撤退。

鲁智深走远了，想起自己的包裹还在寺里，又不能转回去拿，正一肚子气没处发泄的时候，看见前面一个大林子里，有个人正探头探脑的，决定找那人出气。于是他大声喝道："林子里的菜鸟快出来！"

那人听了，大笑着喝一声："秃驴，你是找死！"两人斗了一二十回合后，那人

dà jiào   děng yí xià   wǒ yǒu huà shuō   nǐ shì shéi   shēng yīn
大叫："等一下，我有话说。你是谁？声音
hǎo shú   liǎng gè rén shōu shǒu tíng zhù   zhì shēn bào shàng xìng míng
好熟。"两个人收手停住，智深报上姓名，
nà rén tīng le diū diào pō dāo shuō dào   rèn de shǐ jìn ma
那人听了丢掉朴刀说道："认得史进吗？"
lǔ zhì shēn xiào le   yuán lái shì shǐ tài láng   liǎng rén dào lín
鲁智深笑了："原来是史太郎。"两人到林

zi li zuò dìng   xì xì sù shuō bié hòu qíng kuàng   lǔ zhì shēn chī
子里坐定，细细诉说别后情况。鲁智深吃
le shǐ jìn gěi de gān ròu shāo bing   èr rén gè ná le qì xiè
了史进给的干肉烧饼，二人各拿了器械，
zài huí wǎ guàn sì lái ná bāo guǒ
再回瓦罐寺来拿包裹。
　　 zhè yí cì bù tóng le   lǔ zhì shēn chī bǎo le   yòu jiā
　　这一次不同了，鲁智深吃饱了，又加
shàng hé shǐ jìn èr rén hé lì   bù jǐ xià shā le yì sēng yí
上和史进二人合力，不几下杀了一僧一
dào   liǎng rén ná le bāo guǒ   yòu bāo le xiē hé shang   dào shi
道。两人拿了包裹，又包了些和尚、道士

的金银，见几个老和尚已上吊了，先前那个女子也投井了，就一把火烧了整个寺院，一起下山去了。

二人赶了一夜路，来到了一个村镇，在一个酒店里吃喝完毕后，又起程了。在一个三岔路口，两人分了手，史进回少华山投奔朱武等三人，鲁智深则径直向东京去了。

七 鲁智深倒拔垂杨柳

　　鲁智深又走了八九天，终于来到东京。东京城内非常繁华，人声喧哗。鲁智深向人问了路，就直奔大相国寺而去。鲁智深提着禅杖，来到寺前，只见这大相国寺恢弘气派，里面香火不断，热闹非凡。

　　鲁智深进到寺里，在会客僧的引领下拜见了智清禅师，并呈上了智真禅师的书信。智清长老读完来信，见鲁智深又不像出家人模样，想了想，就安排鲁智深去菜

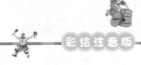

yuán zuò zhù chí
园做住持。

zhè cài yuán fù jìn yǒu èr sān shí gè pō pí wú lài jīng
这菜园附近有二三十个泼皮无赖，经

cháng zài cài yuán nèi tōu cài zhè cì yòu lái tōu cài shí kàn jiàn
常在菜园内偷菜。这次又来偷菜时，看见

cài yuán mén kǒu tiē de bǎng wén shuō yǐ hòu yóu lǔ zhì shēn lái guǎn
菜园门口贴的榜文说以后由鲁智深来管

lǐ cài yuán biàn shāng yì gěi lǔ zhì shēn yí gè xià mǎ wēi ràng
理菜园，便商议给鲁智深一个下马威，让

lǔ zhì shēn fú tā men
鲁智深服他们。

dì èr tiān lǔ zhì shēn dào cài yuán zǒu mǎ shàng rèn dāng
第二天，鲁智深到菜园走马上任。当

tā zài cài yuán dōng guān xī wàng shí kàn jiàn èr sān shí gè pō
他在菜园东观西望时，看见二三十个泼

pí ná zhe xiē lǐ pǐn
皮，拿着些礼品，

xiào xī xī de shuō shì lái
笑嘻嘻地说是来

gěi cài yuán xīn zhù chí qìng
给菜园新住持庆

hè lǔ zhì shēn qǐng tā
贺。鲁智深请他

men guò qù zuò zuo nà
们过去坐坐，那

xiē rén què zhàn zài fèn jiào
些人却站在粪窖

biān bú dòng wéi shǒu de
边不动，为首的

zhāng sān　lǐ sì bài dǎo zài dì shang　dǎ suàn děng lǔ zhì shēn qù
张三、李四拜倒在地上，打算等鲁智深去

fú tā men shí　biàn dòng shǒu bǎ tā tuī dào fèn jiào li　lǔ zhì
扶他们时，便动手把他推到粪窖里。鲁智

shēn jiàn le　xīn li zǎo yǐ shēng yí　tā dà tà bù zǒu guò qù
深见了，心里早已生疑。他大踏步走过去，

bù děng tā men jìn shēn　fēi qǐ yòu jiǎo　téng de bǎ lǐ sì tī
不等他们近身，飞起右脚，腾地把李四踢

xià fèn jiào　zhāng sān zhèng yào zǒu　lǔ zhì shēn zuǒ jiǎo zǎo qǐ
下粪窖。张三正要走，鲁智深左脚早起，

yòu bǎ tā tī xià fèn jiào　liǎng gè pō pí zài fèn jiào li zhēng
又把他踢下粪窖。两个泼皮在粪窖里挣

zhá zhe dà shēng qiú ráo　qí tā rén xià de mù dèng kǒu dāi
扎着大声求饶，其他人吓得目瞪口呆。

zhāng sān　lǐ sì cóng fèn jiào li pá chū lái hòu　dài zhe
张三、李四从粪窖里爬出来后，带着

zhòng pō pí zhǔn bèi táo zǒu　lǔ zhì shēn hè zhù zhòng pō pí　yòu
众泼皮准备逃走。鲁智深喝住众泼皮，又

ràng zhāng sān lǐ sì xiān qù cài yuán li xǐ gān jìng le zài huí lái
让张三、李四先去菜园里洗干净了再回来。

lǔ zhì shēn jiào zhòng pō pí dào yuán nèi zuò xià dà zhì jiǎng le yí
鲁智深叫众泼皮到园内坐下,大致讲了一

xià zì jǐ de lái tou bìng shuō bié shuō nǐ men zhè èr sān shí
下自己的来头,并说:"别说你们这二三十

rén jiù shì qiān jūn wàn mǎ wǒ yě bú pà zhòng pō pí wéi
人,就是千军万马,我也不怕。"众泼皮唯

wéi nuò nuò lián shēng gōng wéi
唯诺诺,连声恭维。

dì èr tiān zhòng pō pí còu xiē qián mǎi le shí píng jiǔ
第二天,众泼皮凑些钱,买了十瓶酒,

shā le yì tóu zhū lái qǐng lǔ zhì shēn dà jiā jiǔ hē de zhèng
杀了一头猪来请鲁智深。大家酒喝得正

hān zhǐ tīng de mén wài lǎo yā wā wā de jiào yǒu rén jué de
酣,只听得门外老鸦哇哇地叫。有人觉得

bù jí lì yào qù chāi le nà shù shang de yā cháo lǔ zhì shēn
不吉利,要去拆了那树上的鸦巢。鲁智深

乘着酒兴，走到外面一看，果然见绿杨树上有一个老鸦巢。鲁智深比画了一下，走到那树前，把衣服脱了，右手向下，左手向上，抱住那树，把腰一挺，大喝一声，将那株绿杨树连根拔起。众人见了，一齐拜倒在地，直称鲁智深是罗汉下凡。

从此，这二三十个泼皮对鲁智深佩服得五体投地，每天带酒肉请鲁智深吃，看他练武使拳。

八 豹子头
误入白虎堂

三月底的一天，鲁智深买了酒肉，回请那些泼皮。大伙大碗喝酒，大块吃肉，好不快活。酒兴正浓时，鲁智深应众人的要求，提起禅杖，飕飕地舞动起来，浑身上下不见半点破绽。大伙见了齐声叫好。

鲁智深正使得高兴，只听墙外一个军官也大声喝彩道："使得好！"原来这军官就是八十万禁军枪棒教头豹子头林冲。鲁智深忙请林冲进来相见，鲁智深小时候曾

到东京，认得林冲的父亲林提辖。林冲在这里认识了鲁智深，也很高兴，两人当场结义，林冲拜鲁智深为兄。两人谈得十分投缘，鲁智深忙叫人添酒相待。

刚喝了三杯酒，只见林冲家的使女锦儿红着脸慌慌张张地在墙角叫道："夫人被人欺负了！"林冲连忙问："在哪里？"锦儿说："我们正在五岳楼下，撞见一伙流氓，他们拦住夫人不肯放。"林冲忙告别鲁智深，和锦儿直奔五岳楼。

赶到五岳楼时，只见一个年轻人背对

着林冲，正拦住林冲娘子纠缠不休。林冲赶过去，把那后生肩胛扳过来，喝道："调戏良家妇女，该当何罪？"

林冲正要下拳打时，认出此人原是高俅的义子高衙内，人称"花花太岁"，专爱奸淫别人妻女。高衙内见是林冲，就说："林冲！关你什么事，要你来管！"原来他并不知道那是林冲娘子。林冲怒气未消，却碍于高太尉面子，只得让高衙内走了。

林冲领着娘子和锦儿回来，只见鲁智

深提着铁禅杖，领着那二三十个泼皮赶来，要帮林冲打架，被林冲和众人劝了回去。林冲带了

娘子和锦儿回

家，心里始终郁

郁不乐。

这高衙内

自从见了林冲

娘子，心中一直记挂着放不下，他的手下富安就献计让林冲的好友陆谦拉林冲去喝酒，他便去林冲家，将林冲娘子骗过来。

这陆谦也是见利忘义、趋炎附势之徒，他只要衙内喜欢，却不顾朋友间的交情，就答应了。

这天中午，陆谦邀林冲去喝酒。林冲

bù zhī shì jì　hé lù qiān yì qǐ lái dào fán lóu hē jiǔ liáo tiān
不知是计，和陆谦一起来到樊楼喝酒聊天。

lín chōng yì lián hē le bā jiǔ bēi jiǔ hòu　xià lóu qù xiǎo jiě shí
林冲一连喝了八九杯酒后，下楼去小解时，

gāng hǎo kàn dào jǐn er jí jí máng máng de zhǎo lái　shuō niáng zǐ bèi
刚好看到锦儿急急忙忙地找来，说娘子被

yá nèi shǒu xià piàn dào lù qiān jiā li qù le　lín chōng chōng dào
衙内手下骗到陆谦家里去了。林冲冲到

lù qiān jiā　pǎo dào lóu shang　jiàn fáng mén jǐn bì　zhǐ tīng jiàn lín
陆谦家，跑到楼上，见房门紧闭，只听见林

chōng niáng zǐ dà shēng hū jiào　lín chōng dà jiào kāi mén　gāo yá nèi
冲娘子大声呼叫。林冲大叫开门，高衙内

zhèng yào fēi lǐ　tīng jiàn lín chōng shēng yīn　máng tiào chuāng táo zǒu
正要非礼，听见林冲声音，忙跳窗逃走

le　ér lù qiān yě pà lín
了。而陆谦也怕林

chōng zhǎo tā suàn zhàng　duǒ zài
冲找他算账，躲在

tài wèi fǔ nèi bù gǎn huí jiā
太尉府内不敢回家。

gāo yá nèi hé lù qiān
高衙内和陆谦

tā men yí jì bù chéng　yòu
他们一计不成，又

shēng yí jì　chèn zhe lín chōng
生一计。趁着林冲

hé lǔ zhì shēn shàng jiē hē jiǔ
和鲁智深上街喝酒

zhī jì　gù yì ràng rén mài
之际，故意让人卖

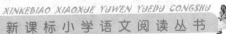

gěi tā yì bǎ bǎo dāo   dì èr tiān   gāo yá nèi jiù ràng rén chuán
给他一把宝刀。第二天，高衙内就让人传

huà gěi lín chōng shuō   gāo tài wèi zhī dào nǐ mǎi le yì bǎ hǎo
话给林冲，说："高太尉知道你买了一把好

dāo   jiào nǐ dài qù bǐ shi   lín chōng ná le dāo   gēn zhe nà
刀，叫你带去比试。"林冲拿了刀，跟着那

suí cóng lái dào tài wèi fǔ   nà rén dài lín chōng jìn le hòu táng
随从来到太尉府。那人带林冲进了后堂，

ràng tā zài nà er děng hòu   shuō shì qù bǐng bào tài wèi   què chí
让他在那儿等候，说是去禀报太尉，却迟

chí bú jiàn chū lái   lín chōng xīn zhōng qǐ yí   biàn jiē kāi lián zi
迟不见出来。林冲心中起疑，便揭开帘子，

yí kàn yán qián é shang xiě zhe   bái hǔ jié táng   sì gè qīng zì
一看檐前额上写着"白虎节堂"四个青字。

bái hǔ jié táng shì shāng yì jūn jī dà shì de dì fang   wú gù bù
白虎节堂是商议军机大事的地方，无故不

néng shàn zì chuǎng rù   lín chōng měng rán xǐng wù   zhè yòu shì yí
能擅自闯入。林冲猛然省悟，这又是一

gè quān tào   tā zhuǎn shēn yào zǒu   dàn yǐ jīng lái bu jí le
个圈套。他转身要走，但已经来不及了。

gāo tài wèi cóng wài miàn jìn lái　dà shēng shuō dào　lín chōng nǐ
高太尉从外面进来，大声说道："林冲，你

wú gù shàn rù bái hǔ jié táng　shǒu li hái ná zhe dāo　mò fēi
无故擅入白虎节堂！手里还拿着刀，莫非

xiǎng cì shā wǒ　lín chōng máng shēn biàn　gāo tài wèi nǎ lǐ kěn
想刺杀我？"林冲忙申辩，高太尉哪里肯

tīng　jiào rén ná xià le lín chōng
听，叫人拿下了林冲。

kāi fēng fǔ yǐn zhī dào lín chōng bèi yuān　zhǐ pàn tā èr shí
开封府尹知道林冲被冤，只判他二十

dà gùn　bìng fā pèi cāng zhōu　yóu dǒng chāo　xuē bà jiān yā qián
大棍，并发配沧州，由董超、薛霸监押前

qù　lín chōng wèi le bù lián lěi niáng zǐ　xiě le xiū shū　ràng
去。林冲为了不连累娘子，写了休书，让

tā gǎi jià　lín chōng niáng zǐ kū zhe bù kěn　zhí shuō yào děng tā
她改嫁，林冲娘子哭着不肯，直说要等他

huí lái
回来。

61

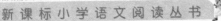
九 林教头
野猪林获救

谁知高太尉却不肯善罢甘休，令人买通董超、薛霸，让他们在路上暗算林冲。那两人得了钱财，便苦逼林冲赶路。当时正是六月，天气炎热，林冲棒疮又发作，只能忍痛一步一步往前挪。

傍晚住店时，董超和薛霸将林冲灌醉，然后故意用开水烫伤他的脚，第二天一大早又让他穿上新草鞋赶路。走了不到二三里，林冲脚上的水泡全被新草鞋磨

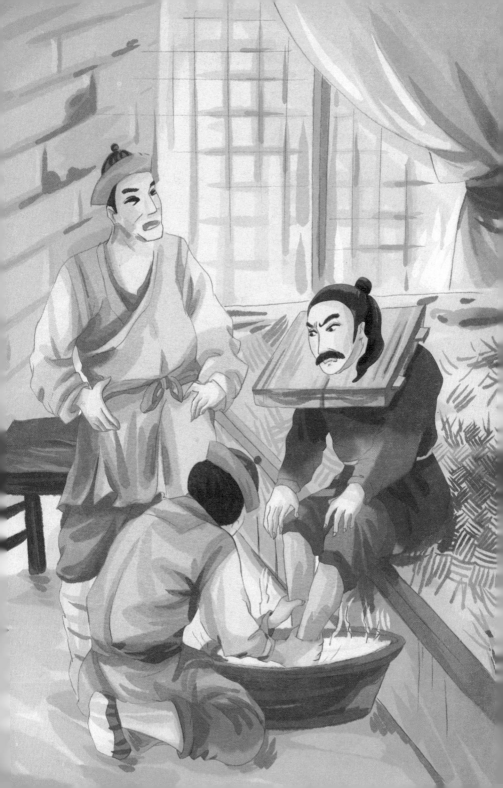

破，鲜血淋漓，疼痛难忍。林冲实在走不

动了，薛霸骂道："走就要走快点，不走我

的棒子就过来了。"林冲忙说道："请两位

行个方便，我实在是脚痛走不动了。"可两

人却不听，硬逼着他快走，好不容易挨了

四五里路，来到了野猪林。

　　这野猪林是东京去沧州路上的第一个

险峻之处。两名公差假意要入林休息，到

了林中，两人将林冲绑在树上，准备在这

里结果了林冲的性命。林冲恳求道："我

与二位无冤无仇，若蒙相

救，至死不忘。"薛

霸却不理睬，

他提起水火

棍，往林冲

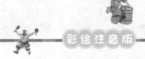

nǎo dai shang zhí pī xià lái
脑袋上直劈下来。

shuō shí chí nà shí kuài zhǐ tīng sōng shù bèi hòu léi míng
说时迟，那时快，只听松树背后雷鸣

shì de yì shēng hǎn fēi chū yì tiáo chán zhàng jiāng shuǐ huǒ gùn dǎ
似的一声喊，飞出一条禅杖，将水火棍打

dào jiǔ xiāo yún wài jiē zhe yòu tiào chū yí gè pàng dà hé shang
到九霄云外。接着又跳出一个胖大和尚，

yuán lái shì lǔ zhì shēn lái le
原来是鲁智深来了。

lǔ zhì shēn chōu chū jiè dāo gē duàn shéng zi fú qǐ lín chōng
鲁智深抽出戒刀割断绳子，扶起林冲

shuō xiōng di zì cóng mǎi dāo nà tiān fēn bié hòu tīng shuō nǐ
说："兄弟！自从买刀那天分别后，听说你

shòu guān si wǒ pà zhè liǎng rén huì zài lù shang hài nǐ tè dì
受官司，我怕这两人会在路上害你，特地

gēn lái zuó tiān yè li jiàn zhè liǎng gè jiā huo zuò shǒu jiǎo gēng
跟来。昨天夜里见这两个家伙做手脚，更

shì bú fàng xīn dāng shí jiù xiǎng yào shā zhè liǎng gè cài niǎo yòu
是不放心。当时就想要杀这两个菜鸟，又

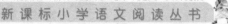
怕店里人多不便下手。于是今天一早便到这林子里，等着杀这两个菜鸟。"林冲却说："师兄既然救了我，就不要伤他两个性命。"鲁智深于是向二人喝道："若不是看兄弟面上，我把你这两个菜鸟剁成肉酱。快挽我兄弟，跟我来。"董超、薛霸吓得不敢回话，只好扶着林冲，随鲁智深出了野猪林。

鲁智深一路上买酒买肉，调养林冲。董、薛二人忌惮鲁智深，只得一路上小心伺候。过了两程，鲁智深又雇了一辆车子，安排林冲休息，亲自护送林冲去沧州。

半个月之后，离沧州只有七十里路了。鲁智深便对林冲说："兄弟，这里离沧州不远。前面也没有僻静的地方，就此分手，

后会有期。"说完，取出一二十两银子给林冲，二三两给公差，说："看在我兄弟面上，饶你两个鸟命，如今没多少路了，不要再生歹心！否则叫你们的头像这棵松树一样。"说完抢起禅杖，只一下打得那松树齐齐地折断。董超、薛霸看了，吓得魂飞魄散。鲁智深对林冲说了声"兄弟保重"就走了。

十 林教头风雪山神庙

晌午时，他们到了一个村子。林冲听说柴大官人住在这里，便去拜访。这柴大官人姓柴名进，江湖上唤做"小旋风"，专好结交天下好汉。林冲与柴进早已互闻大名，如今一见之下，彼此十分投缘。

柴进当下安排酒席给林冲接风。席间，柴大官人的师父，洪教头也来了。林冲急忙施礼，洪教头却不理睬，态度十分傲慢，还要与林冲当场比武。柴进一来是

xiǎng kàn lín chōng běn shi　èr　lái shì xiǎng yào kàn lín chōng yíng le hóng
想看林冲本事，二来是想要看林冲赢了洪

jiào tóu　shā sha tā de ào qì　biàn ràng liǎng rén dāng chǎng bǐ shi
教头，杀杀他的傲气，便让两人当场比试。

　　liǎng rén jiāo shǒu　zhǐ dǎ le sān gè huí hé shí　lín chōng
　　两人交手，只打了三个回合时，林冲

jiàn hóng jiào tóu bù zi yǐ luàn　bǎ bàng cóng dì xia yì tiǎo　chèn
见洪教头步子已乱，把棒从地下一挑，趁

hóng jiào tóu duǒ shǎn　yòng bàng yì sǎo　hóng jiào tóu dēng shí dǎo dì
洪教头躲闪，用棒一扫，洪教头登时倒地。

zhòng rén yì qí dà xiào　hóng jiào tóu mǎn liǎn tōng hóng　xiū kuì de
众人一齐大笑，洪教头满脸通红，羞愧地

zǒu le
走了。

　　chái jìn liú　lín chōng zài zhuāng shang zhù le shí duō tiān　lín
　　柴进留林冲在庄上住了十多天。临

xíng qián　chái jìn gěi cāng zhōu dà yǐn　láo chéng guǎn yíng hé chāi bō
行前，柴进给沧州大尹、牢城管营和差拨

xiě le xìn　qǐng tā men zhào kàn lín chōng　yòu ná le xiē yín liǎng
写了信，请他们照看林冲，又拿了些银两

给林冲。林冲拜谢而去。

到了沧州，林冲花些钱物上下打点，又交了柴进的书信，就被免了杀威棒，派到天王堂当看守，每天烧香扫地，轻闲自在。柴进还时常派人送衣物给他，林冲也常救济营内囚徒。

一天，林冲偶然遇见李小二，他先前在东京时，经常得到林冲的照顾；后来他吃官司，也是林冲救了他，没想到在这儿遇见了。李小二便请林冲到他开的酒店喝酒。此后，李小二夫妻不时送汤送水到营里，林冲也常给他们一些银两当本钱。

转眼到了冬天。一天，陆谦和另一个人来到李小二店里，叫小二去牢城里请差拨、管营到酒店。四人坐定后，陆谦便对李小二说："我们有话要说，不叫你，你就不要进来。"

李小二不认识陆谦，却见这人鬼鬼祟祟的，刚才拿酒进去时，又听差拨口里吐出"高太尉"三字，便叫老婆留心观察他们。李小二老婆听了半个时辰，出来说："他们交头接耳，听不清说什么。只是那军官模样的人，给管营和差拨一包东西，像是金银。只听见

71

差拨说'包在我身上，一定结果了他的性命！'又吃喝了一阵，那四人才低着头走了。"

过了一会儿，林冲像往常一样来了，李小二慌忙把刚才的事告诉林冲，并形容了那军官的模样。林冲一听便知那人是陆谦。当下他离开了小二家，买了把尖刀，大街小巷地找寻陆谦，可一连几天都没碰到。

又过了几天，管营叫林冲到点视厅，让他去看守大军草料场。林冲就辞别李小二夫妻，与差拨往草料场走去。

此时正下着大雪，林冲赶到草料场，放下被褥，看那草屋被北风吹得摇摇欲倒，直觉身上寒冷，便想买酒取暖。于是，他用花枪挑了酒葫芦，锁了草料场，往酒店

zǒu qù
走去。

　　lín chōng dào le jiǔ diàn　　yào le pán niú ròu xià jiǔ　zǒu
　　林冲到了酒店，要了盘牛肉下酒，走
shí yòu mǎi le yì hú lu jiǔ　bāo le liǎng kuài niú ròu　huí dào
时又买了一葫芦酒，包了两块牛肉，回到
cǎo liào chǎng　què jiàn nà liǎng jiān cǎo wū yǐ bèi xuě yā dǎo le
草料场，却见那两间草屋已被雪压倒了。

　　méi bàn fǎ　　lín chōng zhǐ hǎo juǎn le bèi zi　yòng huā qiāng
　　没办法，林冲只好卷了被子，用花枪
tiāo le jiǔ hú lu　cháo lù shang kàn jiàn de yí zuò gǔ miào bēn qù
挑了酒葫芦，朝路上看见的一座古庙奔去。
dào le miào li　yòng kuài dà shí tou yǎn le mén　jiù ná huái zhōng
到了庙里，用块大石头掩了门，就拿怀中
de niú ròu xià jiǔ　zhè
的牛肉下酒。这
shí　tīng dào wài miàn pǐ lǐ
时，听到外面噼里
pā lā de xiǎng shēng　yuán
啪啦的响声，原
lái shì cǎo liào chǎng zháo huǒ
来是草料场着火
le　　lín chōng tí qiāng zhèng
了。林冲提枪正
yào chū mén jiù huǒ　hū rán
要出门救火，忽然

tīng dào mén wài yǒu rén shuō huà　　zhǐ tīng qí zhōng yí gè wèn dào
听到门外有人说话。只听其中一个问道：
zhè ge jì hǎo ma　　yí gè dá dào　　duō kuī guǎn yíng　chāi
"这个计好吗？"一个答道："多亏管营、差

拨用心。我回到京师，一定禀过太尉，保你们二位做大官。"

又一个说："我在四周草堆里点了十来个火把，他能逃到哪里去？"

林冲听出那三个人，一个是差拨，一个是陆谦，一个是富安。林冲怒火中烧，轻轻将石头挪开，拉开庙门，一枪戳倒差拨；陆谦吓得拔腿就跑，那富安走不到十来步，被林冲赶上，在后心上一枪便戳倒了。

转身回来，陆谦才跑三四步。林冲劈胸一提，把他丢翻在雪地上，用脚踏住他的胸脯，取出尖刀，骂道："奸贼！我自小和你是朋友，你却这样害我，我怎能饶你！"

骂完了，他扯开陆谦的衣服，把尖刀向他

的心窝里一剜，将心肝提在手里。又将三

人的头割下，放在山神庙里的供桌上，再

穿了白布衫，将葫芦里的冷酒喝完，然后

提枪出庙，往东走去。

林冲无意间又来到柴进的东庄，将烧

草料场的事细说一遍。柴进留他住了六

七天后，写了封信，让他带着去投奔梁山泊。

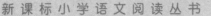

林冲与柴进分别后，上路走了十多天，远远望见湖边一个酒店，连忙奔入。喝了三四碗酒后，林冲向小二打听梁山泊行程，店小二说："从这里去梁山泊虽只有几里，但是水路，要用船才能去。"林冲正在叹气，不知如何弄到船只，却被梁山泊"白衣秀士"王伦手下的耳目朱贵认了出来。朱贵领着林冲向梁山泊走去。

十一 汴京城 杨志卖刀

林冲上了梁山，见过"白衣秀士"王伦、"摸着天"杜迁和"云里金刚"宋万三位好汉。王伦看了柴进的信，便请林冲坐第四把交椅，又忌惮他武艺高强，怕他日后占强，就想借故推脱打发他下山。林冲不肯，杜迁、宋万也一再相劝，王伦见状只好说："既然这样，限你三天之内拿一个'投名状'来，便容你入伙，否则，就不能怪我了。"

原来这"投名状"就是下山杀一个人，将人头献纳，以表忠心。林冲下山，整整等了两天，都没等到一个孤身客人经过，直叹晦气。

第三天，雪后放晴，林冲又提着朴刀，和小卒下山。等了半天，只见远远一个人大步向他们这边行来。等那人走近了，林冲猛地跳出来，那人见了林冲，丢了担子，转身便跑。林冲哪里赶得上，只好让小卒

挑了担子先上山，自己再等一等。

不一会儿，山坡下转出一个大汉，提着

pō dāo，dà mà shān
朴刀，大骂山
zéi qiǎng tā xíng li
贼抢他行李。
lín chōng jiàn tā lái shì
林冲见他来势
xiōng měng，èr huà bù
凶猛，二话不
shuō，tǐng dāo lái dòu
说，挺刀来斗。
liǎng rén yì lái yì wǎng
两人一来一往，
dà zhàn sì shí duō gè
大战四十多个

huí hé，zhí dòu de nán jiě nán fēn。zhè shí wáng lún děng sān rén
回合，直斗得难解难分。这时王伦等三人
guò lái，quàn èr rén tíng le shǒu。yí wèn zhī xià，cái zhī nà
过来，劝二人停了手。一问之下，才知那
hàn zi jiào yáng zhì，céng zuò guò diàn sī zhì shǐ guān，jiāng hú shang
汉子叫杨志，曾做过殿司制使官，江湖上
chuò hào "qīng miàn shòu"。
绰号"青面兽"。

yáng zhì gēn zhe zhòng rén guò le hé，dào le shān zhài，tā
杨志跟着众人过了河，到了山寨，他
jù jué le wáng lún de rù huǒ yāo qǐng，ná le xíng li，dì èr
拒绝了王伦的入伙邀请，拿了行李，第二
tiān yì zǎo jiù zǒu le。wáng lún zhè cái kěn ràng lín chōng zuò le
天一早就走了。王伦这才肯让林冲坐了
liáng shān pō dì sì bǎ jiāo yǐ，zhū guì zuò dì wǔ bǎ
梁山泊第四把交椅，朱贵坐第五把。

yáng zhì dào le dōng jīng　　ná chū nà dàn jīn yín cái wù
杨志到了东京，拿出那担金银财物，

shàng xià dǎ dian　cái bèi yǐn qù jiàn gāo tài wèi　gāo qiú kàn le
上下打点，才被引去见高太尉。高俅看了

yáng zhì de wén shū　bù kěn zài yòng tā　jiāng yáng zhì gǎn chū le
杨志的文书，不肯再用他，将杨志赶出了

diàn shuài fǔ　yáng zhì méi xiǎng dào gāo qiú rú cǐ hěn dú　mèn mèn
殿帅府。杨志没想到高俅如此狠毒，闷闷

bú lè de zài kè diàn zhù le jǐ tiān　pán chan dōu yòng wán le
不乐地在客店住了几天，盘缠都用完了。

méi bàn fǎ　biàn xiǎng bǎ　zǔ chuán bǎo dāo mài diào　huàn xiē qián yòng
没办法，便想把祖传宝刀卖掉，换些钱用。

yáng zhì zài jí shì shang mài dāo　bú liào pèng dào dōng jīng chéng
杨志在集市上卖刀，不料碰到东京城

de dà hài chóng niú èr　yáng zhì shuō zì jǐ de bǎo dāo yǒu sān
的大害虫牛二。杨志说自己的宝刀有三

gè hǎo chu　yī shì kǎn gāng duò tiě dāo kǒu bù juǎn　èr shì chuī
个好处：一是砍钢剁铁刀口不卷；二是吹

毛得过；三是杀人刀不见血。牛二不信，去香椒铺里讨了二十个铜钱，堆成一叠放在州桥栏杆上，叫杨志道："汉子，你若剁得开，我给你三千贯钱。"杨志手起刀落，将铜钱剁成两半。大家齐声喝彩。牛二又拔下一把头发递给杨志："你吹给我看看。"杨志照着刀口尽力一吹，那头发都断作两段，纷纷飘下地来。大家不禁又大声喝彩，看热闹的人越来越多了。

牛二继续耍无赖，要杨志试宝刀的第三个好处，剁一个人，杨志不肯。牛二就

81

chán zhe yáng zhì yào duó tā de
缠着杨志要夺他的
bǎo dāo yáng zhì yì shí xìng
宝刀。杨志一时性
qǐ ná dāo wǎng niú èr nǎo
起，拿刀往牛二脑
mén shang yì kǎn biàn jiàn tā
门上一砍，便见他
pū dǎo zài dì yáng zhì gǎn
扑倒在地。杨志赶
shàng qù zài niú èr xiōng pú
上去，在牛二胸脯
shang lián kǎn liǎng dāo niú èr
上连砍两刀，牛二
xuè liú mǎn dì sǐ zài dì shang
血流满地，死在地上。

yáng zhì dào kāi fēng fǔ qù zì shǒu kāi fēng fǔ yǐn tīng le
杨志到开封府去自首，开封府尹听了
yáng zhì de kǒu gòng hé zhòng rén de zhèng cí pàn dǎ yáng zhì èr shí
杨志的口供和众人的证词，判打杨志二十
jǐ zhàng fā pèi běi jīng dà míng fǔ
脊杖，发配北京大名府。

běi jīng dà míng fǔ liú shǒu liáng zhōng shū shì dōng jīng dāng cháo
北京大名府留守梁中书，是东京当朝
tài shī cài jīng de nǚ xu liáng zhōng shū yuán lái zài dōng jīng shí
太师蔡京的女婿。梁中书原来在东京时
yě rèn de yáng zhì biàn liú yáng zhì zài tīng qián chāi qiǎn
也认得杨志，便留杨志在厅前差遣。

yáng zhì zài liáng zhōng shū fǔ zhōng zǎo wǎn yīn qín tīng hòu shǐ
杨志在梁中书府中，早晚殷勤听候使

huàn。梁中书见他勤谨，有心抬举他做个军
中副牌，又恐其他将领不服，便传令到校
场比武。

比武当天，不论是刀枪还是弓箭，杨
志都胜过副牌军周谨。梁中书见了十分
高兴，便让杨志代替了周谨的职务。

杨志正要拜谢，周谨的师父，正牌军
索超却不依，要和杨志比试。

三通战鼓响过后，索超手提金蘸斧，
杨志手挺浑铁点钢枪，纵马出阵，两人斗

了五十多个回合，仍不分胜负。台上梁中书看得呆了，两边军官也喝彩不断。梁中书又惊又喜，让人拿了两锭白银、两副衣甲赏赐给二人，将他们二人都升为管军提辖使。

时光飞逝，转眼又到了蔡太师的生日，梁中书同夫人商量着今年花十万贯买的金珠宝贝由谁来押送，才不会再次被劫。两人思来想去，决定派杨志押送生辰纲上东京。

十二 取生辰纲
晁盖聚群雄

shān dōng jǐ zhōu yùn chéng xiàn xīn dào rèn de yí gè zhī xiàn
山东济州郓城县新到任的一个知县

shí wén bīn wéi guān qīng zhèng lián míng tā tīng shuō liáng shān pō dào
时文彬，为官清正廉明。他听说梁山泊盗

zéi zhòng duō bù jǐn dǎ jié cái wù ér qiě yǔ guān bīng duì kàng
贼众多，不仅打劫财物，而且与官兵对抗，

yú shì xià lìng ràng xún bǔ dū tóu zhū tóng hé léi héng shuài rén fēn
于是下令让巡捕都头朱全和雷横率人分

bié zài dōng xī mén xún chá sōu bǔ gè xiāng cūn dào zéi
别在东、西门巡查，搜捕各乡村盗贼。

léi héng dàng wǎn dài le èr shí gè shì bīng chū dōng mén rào
雷横当晚带了二十个士兵出东门，绕

cūn xún chá zài líng guān miào li kàn jiàn gòng zhuō shang chì tiáo tiáo
村巡查，在灵官庙里，看见供桌上赤条条

de shuì zhe yí gè dà hàn léi héng jiù ràng rén bǎ nà hàn zi
地睡着一个大汉。雷横就让人把那汉子

bǎng le yā chū miào mén sòng dào yí gè bǎo zhèng de zhuāng shang lái
绑了，押出庙门，送到一个保正的庄上来。

这东溪村保正姓晁，名盖，平时仗义疏财，专爱结识天下好汉，又因把青石宝塔从西溪村挪到东溪村，人称"托塔天王"。听说是雷都头到来，他忙叫人开门。晁盖安顿好众人吃喝休息，独自拿了灯笼查看所抓之人，只见那人紫黑阔脸，鬓边一块朱砂记，上面生一片黑黄毛。

晁盖便问道："你是哪里人？我在村里没有见过你。"

那人说是来找晁盖的，有好事相告。

dāng xià liǎng rén xiāng rèn　bìng yuē hǎo huǎng yán　shuō shì cháo gài de
当下两人相认，并约好谎言，说是晁盖的

wài sheng　léi héng bù zhī yǒu zhà　yú shì fàng le nà hàn zi
外甥。雷横不知有诈，于是放了那汉子，

dài zhe shì bīng zǒu le
带着士兵走了。

yuán lái nà hàn zi jiào liú táng　yīn bìn biān de zhū shā jì
原来那汉子叫刘唐，因鬓边的朱砂记，

rén chēng　chì fà guǐ　tā dǎ ting dào běi jīng dà míng fǔ liáng
人称"赤发鬼"。他打听到北京大名府梁

zhōng shū mǎi le　jià zhí shí wàn guàn de　jīn zhū　bǎo bèi　wán qì
中书买了价值十万贯的金珠、宝贝、玩器

děng wù　zhǔn bèi sòng shàng dōng jīng gěi tā zhàng ren cài tài shī zhù
等物，准备送上东京给他丈人蔡太师祝

shòu　biàn xiǎng yuē cháo gài yì qǐ qù jié cái　cháo gài tīng le
寿，便想约晁盖一起去劫财。晁盖听了，

biǎo shì zàn tóng　ràng rén lǐng zhe liú táng qù kè fáng xiū xi
表示赞同，让人领着刘唐去客房休息。

liú táng suī rán
刘唐虽然

bèi fàng le　què yàn
被放了，却咽

bu xià zhè kǒu qì
不下这口气，

biàn zǒu chū fáng mén
便走出房门，

ná le yì bǎ pō dāo
拿了一把朴刀，

jiù qù zhuī léi héng
就去追雷横。

两人在路上斗了五十多个回合，不分胜负。本乡人"智多星"吴用赶来，手拿两条铜链从中一隔，两个人都收住了朴刀，跳出圈外。吴用问他们为什么争斗，两人争着把原因说了，却各说各有理。正争执不下时，晁盖赶来，才平息了这场纷争。看雷横离开后，吴用对晁盖说："你这外甥真是好武艺，他从哪里来的？怎么以前没见过？"晁盖没回答，却说："正要去请先生，有事商议呢，请先生一同去我家吧。"几人一同来到庄上。

晁盖把事情说了一遍。吴用听了笑着

说:"这是好事啊,只是人不能太多,也不

能太少。"他仔细考虑一番后,认为除了晁

盖、刘唐和自己,再加上阮氏三兄弟就可

成事了。

原来阮氏兄弟三个,在济州梁山泊边

石碣村住,以打鱼为生。一个叫做"立地

太岁"阮小二,一个叫做"短命二郎"阮小

^{wǔ} ^{yí gè jiào zuò} ^{huó yán luó} ^{ruǎn xiǎo qī} ^{cháo gài dāng jí}
五，一个叫做"活阎罗"阮小七。晁盖当即

^{jiù ràng wú yòng qù qǐng ruǎn shì sān xiōng dì}
就让吴用去请阮氏三兄弟。

^{dì èr tiān}
第二天，

^{wú yòng jiù lái dào}
吴用就来到

^{shí jié cūn huì qí}
石碣村，会齐

^{sān xiōng dì zhǎo le}
三兄弟，找了

^{yì jiā jiǔ diàn yì}
一家酒店，一

^{qǐ hē jiǔ wú}
起喝酒。吴

^{yòng gēn tā men hē le jǐ bēi hòu biàn bǎ cǐ xíng de zhēn shí mù}
用跟他们喝了几杯后，便把此行的真实目

^{dì shuō le ruǎn shì sān xiōng dì tīng le dōu hěn gāo xìng jué dìng}
的说了。阮氏三兄弟听了都很高兴，决定

^{hé wú yòng yì qǐ qù wú yòng jiàn ruǎn shì sān xiōng dì dā ying}
和吴用一起去。吴用见阮氏三兄弟答应

^{le dāng xià jiù shuō nà jiù qǐng sān wèi míng tiān qǐ zǎo gēn}
了，当下就说："那就请三位明天起早，跟

^{wǒ yì qǐ dào cháo tiān wáng jiā li qù}
我一起到晁天王家里去。"

^{yì tiān hòu cháo gài wú yòng liú táng hé ruǎn shì sān xiōng}
一天后，晁盖、吴用、刘唐和阮氏三兄

^{dì liù gè hǎo hàn zài cháo gài jiā lǐ shì yì qǐ jié qǔ shēngchén}
弟六个好汉在晁盖家立誓，一起劫取生辰

纲。他们正在后堂饮酒时，一个庄客报说："有个先生要见保正化斋粮。别人给他都不要，说急了又动手打人。"晁盖出去一看，是一个道人，说有要事告知，请晁盖到秘处一谈。原来这道士是"入云龙"公孙胜，也正是为生辰纲而来，于是大家齐聚，商议好劫宝的具体事宜，只等时日到来。

十三 吴用智取生辰纲

北京大名府梁中书买好十万贯钱的金珠宝贝作为庆贺蔡太师生日的礼物，叫杨志押送。杨志建议把礼物分装成十多担，用扁担挑着，点十多个健壮军士扮做脚夫，扮成客商，悄悄连夜送上东京。梁中书喜道："你的建议很好。我另外写封信，在太师面前重重保你。"杨志谢过，便去准备。

两天后，杨志扮成客商模样，带了十

四人，挑了十一担礼物起程了。此时正是五月中旬，天气酷热，杨志就让大家趁早上凉快时赶路，中午热时就停下来歇息。这样走了五六天后，到了人烟稀少的山路，杨志担心晚上容易碰到劫匪，就让他们大白天赶路，傍晚时休息。担子又重，天气又热，那挑担的十一个军士见到林子便要去休息，杨志不准，只顾催促赶路，如若停住，轻则痛骂，重则用藤条鞭打。这样走了半个月，那十四个人没有一个不怨恨杨志的。

六月初四那天，天气特别热，没到晌午，太阳已经晒得连石头都烫脚。他们走到黄泥冈那里，那十四人都到树荫下躺下了，任凭杨志拿藤条使劲抽打，也不肯走了。

正在这时，杨志看见对面松树林里有人探头探脑张望，心想：难道是贼人来了？他丢下藤条，拿起朴刀就赶过去，只见松林里一字排着七辆江州推车，七个人脱得赤条条的在那里乘凉。杨志细问之下，才知这兄弟七人是贩枣的商人，他也就除了戒心，提了朴刀回来，让大家休息。

没多久，远

远看见一个汉子，挑着担桶，唱着歌走上冈来，也来到松林里乘凉。大家问他："你桶里是什么东西？"那人说："白酒，挑到村里去卖的。"

众军士又热又渴，便商议买些白酒喝，降降暑。杨志不让，说酒里可能有蒙汗药。那卖酒的汉子听了很恼火，与杨志理论。

正说着，那伙贩枣子的客人提着朴刀出来，问他们吵什么。那卖酒的说："他们要买酒喝，我又没卖，这人却说我酒里有蒙汗药。真是可气！"那七人说："既然这样，你就卖一桶给我们。"挑酒汉子说："卖给你们一桶也行，只是没瓢舀了喝。"贩枣客商去拿了自己的瓢，还捧出一大把枣子。那七人就用枣子下酒，轮换着舀酒喝，一

tǒng jiǔ hěn kuài biàn hē guāng le　　yí gè kè rén fù qián gěi tā
桶酒很快便喝光了。一个客人付钱给他，

lìng yì rén yòu cóng lìng yì tǒng li yǎo le yì piáo jiù hē　nà
另一人又从另一桶里舀了一瓢就喝。那

mài jiǔ de jiàn le　gǎn jǐn lái duó　zhè rén ná le piáo biàn wǎng
卖酒的见了，赶紧来夺，这人拿了瓢便往

sōng lín li pǎo　nà mài jiǔ de zhèng yào gǎn guò qù　yòu yǒu yì
松林里跑。那卖酒的正要赶过去，又有一

rén cóng sōng lín li chū lái　ná zhe piáo yǎo le jiǔ zhèng yào hē
人从松林里出来，拿着瓢舀了酒正要喝，

bèi mài jiǔ de duó huí lái　jiāng jiǔ dào huí tǒng li　piáo què diū
被卖酒的夺回来，将酒倒回桶里，瓢却丢

zài dì shang
在地上。

yáng zhì jiàn fàn zǎo de rén hē le méi shì　biàn dā ying jūn
　　杨志见贩枣的人喝了没事，便答应军

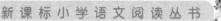

士们把另一桶买下喝了。那卖酒的却不肯卖了："我这酒里有蒙汗药，喝不得。"大家连忙赔笑，贩枣的客商也过来劝，硬将那另一桶酒卖给了军士们，又送些枣子给他们下酒。杨志口渴难熬，见大家喝了都没事，便也喝了半瓢。那卖酒汉子收了钱，依然唱着山歌走了。

这时，那七个贩枣的客商站在松树旁，指着他们说："倒！倒！

倒！"只见杨志等人头重脚轻，先后全都倒了。那七个人推出车子，将枣子倒了，

bǎ shí yī dàn bǎo bèi zhuāng shàng chē fēi yě shì de qù le yáng
把十一担宝贝装上车，飞也似的去了。杨

zhì xīn zhōng jiào kǔ què méi fǎ dòng tan zhǐ dé yǎn zhēngzhēng de
志心中叫苦，却没法动弹，只得眼睁睁地

kàn zhe nà qī rén zǒu le
看着那七人走了。

yuán lái zhè qī rén zhèng
　　原来这七人正

shì cháo gài děng rén tiāo jiǔ
是晁盖等人，挑酒

de shì bái rì shǔ bái shèng
的是白日鼠白胜。

zěn me xià de méng hàn yào
怎么下的蒙汗药

ne yuán lái tiāo shàng gāng de
呢？原来挑上冈的

dōu shì hǎo jiǔ qī rén xiān chī yì tǒng liú táng yòu chī lìng yì
都是好酒，七人先吃一桶，刘唐又吃另一

tǒng gù yì ràng tā men kàn jiàn ràng tā men méi yǒu fáng bèi zhī
桶，故意让他们看见，让他们没有防备之

xīn rán hòu wú yòng zài sōng lín li qǔ chū yào lái dǒu zài piáo
心。然后吴用在松林里取出药来，抖在瓢

li zhuāng zuò gǎn guò lái chī jiǔ ná piáo chéng shí yào yǐ jiǎo zài
里，装作赶过来吃酒，拿瓢盛时，药已搅在

jiǔ li nà bái shèng biàn bǎ piáo qiǎng huí lái jiāng jiǔ quán dào huí
酒里。那白胜便把瓢抢回来，将酒全倒回

tǒng li zhè biàn shì wú yòng de jì cè jiào zuò zhì qǔ shēng
桶里。这便是吴用的计策，叫做"智取生

chén gāng
辰纲"。

十四　宋公明私放晁天王

　　杨志酒喝得少，醒得也快，爬起来后还站立不稳，看那十四个人口角还流涎水，动弹不得。杨志指着那十四个人骂道："都是你们不听我的话，连累了我。"说完拿了朴刀，叹口气，下了山冈。

　　那十四人直到夜里才醒来，见杨志走了，便商议把责任全推在他身上，一行人便到济州府告状去了。

　　杨志独自走了一程，遇到了林冲的徒

弟操刀鬼曹正，受到了他的款待。又向前行，碰到了被官府追捕的花和尚鲁智深，两人都无处容身。于是，两人又返回来找曹正帮忙。在曹正的谋划下，杨志和鲁智深夺了二龙山，做了山寨之主。

梁中书听了军士们的告状后，十分生气，马上派人告知蔡太师。蔡太师严令限期十天捕获贼人，济州府尹急得没有办法，只好大骂缉捕何涛，让他立下军令状，速

速破案。何涛的弟弟何清知道后提供了
一条线索，说可能是晁盖劫走了生辰纲。
让他们逮捕白胜，一问就知道了。

何涛听了，马上带了弟弟禀报府尹，
府尹当下便令何涛带人连夜去逮捕了白
胜。天快亮时，何涛将白胜夫妇和一包金
银带回济州府。

白胜开始死也不肯招供，后来挨不过
刑罚，便把晁盖供了出来，却推说不知道

其他六个人。府尹随即下了一道公文，命何涛等人连夜赶到郓城县捉拿晁盖。

何涛到达郓城县时，正好知县退了早衙，只看见一个押司。那押司姓宋名江，字公明，排行第三，因为长得黑，人称黑宋江。又因为他为人孝顺，仗义疏财，又称孝义黑三郎。宋江爱结交江湖好汉，又肯帮助人，因此被称做及时雨。

宋江听何涛讲了案子，大吃一惊，心想：晁盖是我好兄弟，他如今犯了弥天之罪，我不救他，他会被捕获杀头的。于是

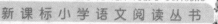
便对何涛说："知县刚处理完一些事务，现正在睡觉，你先稍坐片刻。我家里有点事，先回去一趟。"

说完宋江便上马离开了县衙。出了东门，便快马加鞭，飞也似的直奔东溪村，不到半个时辰便到了晁盖庄上。

晁盖正和吴用、公孙胜、刘唐在后园喝酒，大家正喝得高兴，宋江到了，大家忙拉他入座，他推说有事，急忙拉了晁盖来到侧房。

宋江说:"黄泥冈事情败露了!白胜被关在济州大牢,已供出你们。济州何缉捕带着太师信帖和济州府公文,前来捉拿你们,说是以你为首。幸好撞在我手里,我推说知县睡着了,特地赶过来通知你们,你们还是赶快逃吧。"

晁盖听了大吃一惊,跪地拜谢道:"哥哥救命之恩,当涌泉相报。"宋江交代完后又飞身上马,直奔县城。

晁盖立刻告知吴用等人,众人商议后决定投奔石碣村三阮家里去。石碣村紧

挨着梁山泊，万一不行，还可以到梁山泊入伙。

宋江回到县城，带何涛去见了知县。

知县见了公文，立即让宋江快快带人去捉拿晁盖。

宋江为了拖延时间，说："白天去容易走漏风声，最好夜里去捉。"

到了晚上，知县便吩咐县尉和朱仝、雷横两个都头，带着军士一百多人，同何涛等人一起去捉拿晁盖他们。

谁知这朱仝、雷横和晁盖交情都很好，两人虚张声势地在晁家庄捉拿晁盖，暗地里却将他们悄悄放走了。

何涛见大家忙了一夜没抓到一个人，急得直叫苦，不知如何回济州向府尹交差。

县尉便捉了晁家庄几个庄客，带回郓城
县交差。那几个庄客受不了严刑拷打，供
出了晁盖、吴用等六人在石碣村。

济州府尹便命何涛率五百军兵，直奔
石碣村捉人。晁盖和阮氏兄弟率几十个
打鱼的渔家，在芦苇荡中神出鬼没，将官
兵引入芦苇深处，杀得他们丢盔弃甲。何
涛也被他们捉住了，阮小七割了他两只耳
朵，让他回济州传话，不许再犯石碣村。

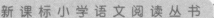

十五 梁山泊义士 尊晁盖

晁盖等人收拾好东西，便驾船离开了石碣村，投靠梁山泊去。双方见过礼后，王伦便在大寨聚义厅大宴宾客，他听说了晁盖他们智取生辰纲等事之后，又怀妒贤嫉能之心，像先前对待林冲一样不愿收留晁盖他们。

直性子的林冲气他不过，在拜访晁盖他们时说："各位英雄不要见外，我林冲自有分晓，你们请放心。"

当天在宴会上，王伦拿出五锭大银，对晁盖等人说："不是我不愿意收留你们，

只是因为山寨粮少房稀，怕耽误了各位的前程。请收下这点薄礼，另投他处吧。"

林冲听了大怒："好个笑里藏刀、言清行污的人，这种人怎么能做寨主？！"说完，便拔刀杀了王伦，并推举晁盖坐了第一把交椅。

到了聚义厅，晁盖坐第一把交椅；吴用为军师，坐第二把交椅；公孙胜掌兵权，坐第三把交椅。林冲坐了第四把，刘唐坐了第五把，阮小二坐了第六把，阮小五坐了第七把，阮小七坐了第八把，杜迁坐了第九把，宋万坐了第十把，朱贵坐了第十一把。梁山泊自此十一位好汉坐定，大家情同手足，共谋大事。

晁盖说："今天大家既然推举我做了寨主，那么我就安排执事了，吴用以后为军师，公孙胜掌兵权，林教头等共管山

寨，你们仍各行其职，管理山寨的大小事务。大家一定要齐心协力，共聚大义。"

晁盖做事

kuān hóng dà liàng　shū cái zhàng yì　　tā ràng dà jiā xiū lǐ zhài zhà
宽宏大量，疏财仗义，他让大家修理寨栅，

dǎ zào jūn qì　měi tiān cāo liàn rén mǎ　　zhǔn bèi yíng zhàn guān bīng
打造军器，每天操练人马，准备迎战官兵。

jǐ zhōu fǔ tuán liàn shǐ huáng ān dài lǐng rén mǎ lái gōng dǎ liáng
济州府团练使黄安带领人马来攻打梁

shān pō　　wú yòng zǎo yǐ tīng dào xiāo xi　ān pái tuǒ dang　fēn fù
山泊，吴用早已听到消息，安排妥当，吩咐

dà jiā yī jì xíng shì
大家依计行事。

huáng ān dài lǐng rén mǎ shàng chuán　yáo qí nà hǎn　shā xiàng
黄安带领人马上船，摇旗呐喊，杀向

jīn shā tān　　zhè shí tā kàn jiàn shuǐ miàn shang yuǎn yuǎn de　yǒu sān
金沙滩。这时他看见水面上远远地有三

zhī chuán shǐ guò lái　ruǎn shì sān xiōng dì　fēn bié zhàn zài sān zhī chuán
只船驶过来，阮氏三兄弟分别站在三只船

de chuán tóu
的船头。

黄安看清楚是阮氏三兄弟，立即大叫道："你们快跟我去捉这三个人。"他所带领的五百只船一齐喊着，朝前杀去。而那三只船却突然一起往回行驶。

黄安他们追了还不到二三里水港，就发现自己中计了，正要让大部队调转船头时，已被梁山好汉包围。黄安夺路逃走时，被刘唐活捉，扯上了岸。

这一仗，梁山好汉们打得好痛快，他们活捉了一两百名官兵，夺得六百多匹好

马和很多船只；晚上又轻易劫得二十多车的金银珠宝和丝绸缎带。

晁盖叫掌库的小头目将这些财物每一样取一半收贮在库，另一半分成两份，厅上十一位头领均分一份，山上山下众人均分一份，并派人带些金银，到郓城县去报答宋江、朱仝和雷横等人的救命之恩。

济州府太守因生辰纲事未破，又在梁山泊大败，被迫离职。新府尹上任之后，招兵买马，集草屯粮，准备搜捕梁山好汉。他一面申呈中书省，请附近州郡合力剿捕；一面下文所属州县，知会他们搜剿。

再说刘唐，奉了晁盖的命令，带着一百两黄金，来找宋江和朱仝、雷横二都头，以答谢他们的救命之恩。

liú táng xiān zhǎo dào sòng jiāng jiāng cháo gài de xìn jiāo gěi tā
刘唐先找到宋江，将晁盖的信交给他。

sòng jiāng kàn le xìn jiù qǔ le yì tiáo jīn zi hé xìn yì qǐ
宋江看了信，就取了一条金子，和信一起

fàng rù zhāo wén dài qí tā de jiān jué bú yào ràng liú táng quán
放入招文袋，其他的坚决不要，让刘唐全

bù dài huí qù gěi shān zhài yòng
部带回去给山寨用。

sòng jiāng shuō léi héng tān dǔ bàn shì bù hěn wěn dang bú
宋江说雷横贪赌，办事不很稳当，不

yào gěi tā jīn zi lìng wài zhū tóng jiā jìng yīn shí yě kě yǐ
要给他金子；另外朱仝家境殷实，也可以

bú yòng gěi tā tā huì qù gēn zhū tóng shuō yì shēng liú táng shì
不用给他，他会去跟朱仝说一声。刘唐是

gè zhí xìng zi de rén jiàn sòng jiāng zhè yàng tuī cí zhǐ hǎo bài
个直性子的人，见宋江这样推辞，只好拜

le sì bài shōu shi bāo guǒ lián yè huí liáng shān qù le
了四拜，收拾包裹，连夜回梁山去了。

十六 宋江怒杀阎婆惜

sòng jiāng cí bié liú táng hòu lù shang pèng dào zuò méi de wáng
宋江辞别刘唐后，路上碰到做媒的王

pó hé lìng yí gè lǎo tài pó yán pó yán pó xiǎng yào jià nǚ
婆和另一个老太婆阎婆。阎婆想要嫁女

zàng fū rè xīn cháng de sòng jiāng biàn gěi le yán pó yín zi mǎi guān
葬夫，热心肠的宋江便给了阎婆银子买棺

cai yòu gěi le tā jǐ liǎng yín zi guò huó
材，又给了她几两银子过活。

nà yán pó gǎn jī sòng jiāng jiù jì yòu jiàn sòng jiāng méi yǒu
那阎婆感激宋江救济，又见宋江没有

qī zi jiù yāng qiú wáng pó bǎ nǚ ér pó xī xǔ pèi gěi sòng jiāng
妻子，就央求王婆把女儿婆惜许配给宋江。

sòng jiāng jīn bu zhù méi pó yí ge jìn er de cuō he biàn dā ying
宋江禁不住媒婆一个劲儿地撮合，便答应

le bìng zài xiàn chéng nèi zū fáng zhì wù ān dùn yán pó xī mǔ
了，并在县城内租房置物，安顿阎婆惜母

nǚ zhù xià
女住下。

不料宋江只爱学枪使棒，不十分近女色，慢慢冷落了婆惜。那婆惜也不喜欢宋江，却和宋江同房押司张文远勾搭上，打得火热。宋江知道后，就更少到婆惜

那里去了。阎婆多次让人来请，宋江只说公事繁忙，不肯前往。

一天晚上，宋江被阎婆硬拉到婆惜那里，又多喝了点酒，当夜就没有回去。他解下腰带，连同压衣刀和招文袋，挂在床边栏杆上，上床在另一头睡了。婆惜却在那里冷笑，宋江听了，心中气闷，哪里睡得

着？第二天天不亮，他就气呼呼地出门去了。

到了街上，宋江喝了碗醒酒汤，正想拿银子出来，一摸口袋，吓出一身冷汗，才想起招文袋忘了拿，而晁盖的信和那条金子也在里面，他急急忙忙赶回阎婆家。

阎婆惜在家里发现了宋江的钱袋，拿了袋子里的金子，看了信，不由暗自窃喜：我正想与张文远做长久夫妻呢，今天你就撞在我手里了。

听到宋江回来上楼的声音，阎婆惜忙

jiāng zhāo wén dài juǎn dào bèi zi li   jiǎ zhuāng shuì jiào
将 招 文 袋 卷 到 被 子 里 , 假 装 睡 觉 。

sòng jiāng zhī shì tā ná le   rěn qì shuō dào   nǐ kàn zài
宋 江 知 是 她 拿 了 , 忍 气 说 道 : "你 看 在

wǒ yǐ qián zhào gù
我 以 前 照 顾

nǐ men mǔ nǚ de
你 们 母 女 的

miàn shang   bǎ zhāo wén
面 上 , 把 招 文

dài huán gěi wǒ ba
袋 还 给 我 吧 。"

pó xī zhuāng
婆 惜 装

shuì bù lǐ tā   hòu
睡 不 理 他 , 后

lái jiàn zhuāng bu xià qù le   jiù tí chū sān gè tiáo jiàn   yī shì
来 见 装 不 下 去 了 , 就 提 出 三 个 条 件 : 一 是

ràng sòng jiāng lì xià zì jù   rèn tā gǎi jià zhāng wén yuǎn   èr shì
让 宋 江 立 下 字 据 , 任 她 改 嫁 张 文 远 ; 二 是

lì zì jù bú xiàng tā tǎo huán yǐ qián de cái wù   sān shì yào cháo
立 字 据 不 向 她 讨 还 以 前 的 财 物 ; 三 是 要 晁

gài gěi sòng jiāng de yì bǎi liǎng jīn zi   sòng jiāng dōu dā ying le
盖 给 宋 江 的 一 百 两 金 子 。 宋 江 都 答 应 了 ,

zhǐ shì shuō míng nà yì bǎi liǎng jīn zi tā méi yào   gěi tā sān tiān
只 是 说 明 那 一 百 两 金 子 他 没 要 , 给 他 三 天

shí jiān   zì jǐ còu zú le zài gěi tā
时 间 , 自 己 凑 足 了 再 给 她 。

pó xī què bù yī   lěng xiào zhe shuō   míng tiān dào yá men
婆 惜 却 不 依 , 冷 笑 着 说 : "明 天 到 衙 门

118

lǐ nǐ yě shuō méi yǒu jīn zi
里，你也说没有金子？"

sòng jiāng tīng dào yá men èr zì bó rán dà nù yì
宋江听到"衙门"二字，勃然大怒，一

bǎ chě kāi nà pó xī gài de bèi zi shēn shǒu biàn duó zhāo wén dài
把扯开那婆惜盖的被子，伸手便夺招文袋。

pó xī nǎ lǐ kěn fàng sòng jiāng hěn mìng yí zhuài què zhuài chū le
婆惜哪里肯放，宋江狠命一拽，却拽出了

yā yī dāo
压衣刀。

yán pó xī jiàn sòng jiāng ná dāo chě zhe sǎng zi dà jiào
阎婆惜见宋江拿刀，扯着嗓子大叫：

hēi sān láng shā rén la
"黑三郎杀人啦！"

zhè yí jiào dào zhēn tí qǐ sòng jiāng zhè ge niàn tou tā
这一叫，倒真提起宋江这个念头，他

liǎng dāo xià qù jié guǒ le pó xī yán pó tīng jiàn xiǎng shēng pǎo
两刀下去结果了婆惜。阎婆听见响声，跑

shàng lóu lái bèi zhè qíng jǐng xià dāi le sòng jiāng qǔ guò zhāo wén
上楼来，被这情景吓呆了。宋江取过招文

袋，将那封信烧了，便走了出去。

阎婆将宋江告上衙门，宋江和知县交
情最深，知县有心让他有机会逃脱，但因
宋江杀了人，不能在本地久留。于是，宋
江想来想去，最后和兄弟宋清一起投奔了
沧州的柴进。在那里他结识了清河县的
武松武二郎，二人英雄惜英雄，结为八拜
之交。

十七 武二郎景阳冈打虎

半个月后，武松想家，便辞别柴进和宋江，回清河县去看望哥哥。

走了几天后，武松来到了阳谷县，晌午时来到一个叫"三碗不过冈"的酒店。店主为武松倒了满满一碗酒，武松端起来一饮而尽，赞道："这酒好有劲道！主人家，有什么可以填饱肚子的？拿些来下酒。"店家切了二斤熟牛肉，又倒了一碗酒。武松喝了，又赞道："好酒！"倒了第三碗后，店家不再添酒了，并说："我这酒叫'透瓶香'，又叫'出门倒'。客人喝了三碗便醉，过不得前面的山冈，因此叫做'三碗不过冈'。"

武松说："胡说，我怎么没醉，再倒三碗来。"店家见武松全然不动，就又倒了三碗。不一会儿，武松一共喝了十五碗酒，笑道："我没醉，你怎么不说'三碗不过冈'了？"说完提了哨棒就要走。酒店老板说前面景阳冈上，有只吊睛白额大老虎，让他在这里歇息，明天再走。武松不信，笑道："即使有老虎，我也不怕！"提了哨棒，大踏步走上景阳冈。

zǒu jìn luàn shù lín　wǔ sōng jiǔ jìn shàng lái le　kàn jiàn
　　走进乱树林，武松酒劲上来了，看见

yí kuài guāng liū liū de dà qīng shí　biàn bǎ shào bàng kào zài yì biān
一块光溜溜的大青石，便把哨棒靠在一边，

tǎng xià yào shuì　zhè shí　tū rán guā qǐ yí zhèn kuáng fēng　pū
躺下要睡。这时，突然刮起一阵狂风，"扑"

de cóng luàn shù bèi hòu tiào chū yì zhī diào jīng bái é dà lǎo hǔ
地从乱树背后跳出一只吊睛白额大老虎

lái　wǔ sōng jiào shēng　āi yā　　lì kè cóng qīng shí shang fān
来。武松叫声："哎呀！"立刻从青石上翻

shēn xià lái　ná le shào bàng shǎn dào qīng shí biān　lǎo hǔ yòu jī
身下来，拿了哨棒闪到青石边。老虎又饥

yòu kě　bǎ liǎng zhī zhuǎ zài dì xia àn yi àn　zòng shēn wǎng wǔ
又渴，把两只爪在地下按一按，纵身往武

sōng shēn shang yì pū
松身上一扑。

shuō shí chí　nà shí kuài　wǔ sōng jiàn lǎo hǔ pū lái　yì
　　说时迟，那时快，武松见老虎扑来，一

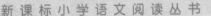
闪，闪在老虎背后。那老虎便把前爪搭在

地下，将腰胯一掀，又被武松躲过。老虎

见没掀着他，大吼一声，将铁棒似的虎尾

倒竖起来，猛地一剪，武松却又闪在一边。

老虎一扑、一掀、一剪，三招落空，气性没

了一半。武松见老虎又翻身回来，双手抡

起哨棒，用尽平生力气，从半空劈下来，只

听见一声响，却打在枯树上，把那条哨棒

打成两截，只剩下一半在手里。

那老虎咆哮着翻身又一扑，武松向后

tiào chū shí bù yuǎn lǎo hǔ de liǎng zhī qián zhǎo zhèng dā zài tā miàn
跳出十步远,老虎的两只前爪正搭在他面
qián wǔ sōng diū diào bàn jié bàng liǎng shǒu jiù shì jiū zhù lǎo hǔ
前。武松丢掉半截棒,两手就势揪住老虎
tóu dǐng de pí yì bǎ àn zhù hǔ tóu wǔ sōng yòng jiǎo wǎng lǎo
头顶的皮,一把按住虎头。武松用脚往老
hǔ liǎn shang yǎn jing li luàn tī yòu shǒu wò chéng tiě chuí bān quán
虎脸上、眼睛里乱踢;右手握成铁锤般拳
tou yòng zuì dà de lì qi bù tíng de dǎ zhe hǔ tóu dǎ le
头,用最大的力气不停地打着虎头。打了
liù qī shí quán hòu nà lǎo hǔ yǎn li kǒu li bí zi li
六七十拳后,那老虎眼里、口里、鼻子里、
ěr duo li dōu bèng chū xiān xuè lái wǔ sōng pà tā bù sǐ yòu
耳朵里都迸出鲜血来。武松怕它不死,又
shí huí bàn jié shào bàng dǎ le yì huí
拾回半截哨棒打了一回。

lǎo hǔ bèi dǎ sǐ le wǔ sōng yě méi le lì qi zài
　　老虎被打死了,武松也没了力气,在
qīng shí shang xiē le yí huì er yí bù bù ái xià gāng zi lái
青石上歇了一会儿,一步步挨下冈子来。

路上遇到几个穿着虎皮的猎户,他们听说老虎被武松打死了,都不相信,便随武松上山来。看见老虎死在那里,不禁欢天喜地地抬了老虎,拥着武松下山来。

第二天一早,大家用轿子抬了武松,把老虎扛在前面,敲锣打鼓,送到阳谷县。武松领了赏钱,当场分给了大家。知县赏识他勇猛厚道,让他留下,做了阳谷县步兵都头。

过了几天,

武松在街上走时竟遇到哥哥

武大郎。原来他因受人欺负,已从清河县搬到阳谷县了。武松见了哥哥,倒头便拜。

wǔ dà láng dāng jí dài tā huí jiā zhù xià
武大郎当即带他回家住下。

wǔ sōng de sǎo sao pān jīn lián xián wǔ dà láng yòu ǎi yòu
武松的嫂嫂潘金莲嫌武大郎又矮又

chǒu jiàn wǔ sōng xiàng mào táng táng yīng xióng liǎo dé jiù cháng tiǎo dòu
丑,见武松相貌堂堂、英雄了得,就常挑逗

wǔ sōng wǔ sōng fēi
武松。武松非

cháng qì fèn nù chì tā
常气愤,怒斥她

dào sǎo sao bú yào
道:"嫂嫂不要

bù zhī xiū chǐ cóng
不知羞耻!"从

cǐ pān jīn lián zài yě
此,潘金莲再也

bù gǎn fàng sì
不敢放肆。

guò le shí jǐ tiān wǔ sōng dào dōng jīng gōng gàn wǔ sōng
过了十几天,武松到东京公干。武松

zǒu hòu pān jīn lián zài gé bì wáng pó de cuō he xià hé kāi
走后,潘金莲在隔壁王婆的撮合下,和开

yào pù de xī mén qìng gōu da chéng jiān wèi le hé xī mén qìng
药铺的西门庆勾搭成奸。为了和西门庆

zuò cháng jiǔ fū qī pān jīn lián yòng pī shuāng dú sǐ le wǔ dà
做长久夫妻,潘金莲用砒霜毒死了武大

láng děng wǔ sōng cóng dōng jīng huí lái tā zhǐ shuō wǔ dà láng shì
郎。等武松从东京回来,她只说武大郎是

hài xīn téng bìng sǐ de wǔ sōng bú xìn zì jǐ shè fǎ jiāng wǔ
害心疼病死的。武松不信,自己设法将武

dà láng zhī sǐ chá le gè shuǐ luò shí chū tā fèn nù zhì jí
大郎之死查了个水落石出。他愤怒至极，

shā le pān jīn lián hé xī mén qìng wèi gē ge bào le chóu rán
杀了潘金莲和西门庆，为哥哥报了仇，然

hòu qù zì shǒu
后去自首。

xiàn lìng niàn tā yì qì gāng liè biàn cóng qīng fā luò fā
县令念他义气刚烈，便从轻发落，发

pèi tā qù mèng zhōu chōng jūn bàn gè duō yuè hòu wǔ sōng lái dào
配他去孟州充军。半个多月后，武松来到

mèng zhōu dào de shí zì pō shí zì pō jiǔ diàn lǎo bǎn zhāng qīng
孟州道的十字坡。十字坡酒店老板张青

hé sūn èr niáng fū fù yǐ mài rén ròu bāo zi ér chū míng wǔ
和孙二娘夫妇以卖人肉包子而出名。武

sōng shí pò le tā men de méng hàn yào bù dǎ bù xiāng shí wǔ
松识破了他们的蒙汗药，不打不相识，武

sōng bài zhāng qīng wéi xiōng zhǎng
松拜张青为兄长。

十八　武松醉打蒋门神

武松到了孟州后，被带到一个叫安平寨的牢城，管营正要给他一顿杀威棒，帐下一个年轻人出面求情，使武松免受皮肉之苦。此后每日武松都得到好酒好肉的招待，武松十分疑惑，经询问后才知那年轻人原来是管营的儿子，名叫施恩，因十分敬重武松，所以每天送酒菜招待。从此，两人十分要好。

一天，施恩请武松到家里，说有一事

129

相求。原来施恩在东门外快活林开了个酒店，每个月都有二三百两银子进账。近来却被本营内张团练带来的蒋门神蒋忠夺去，施恩被打得两个月起不了床。他久闻武松威名，想请武松替他报仇出气。武松立即答应了。

第二天吃过早饭，武松出城去找蒋门神。施恩请武松上马，武松说：“我又不是小脚，骑马干什么？你只要答应我'无三不过店'，这件事就行了。”施恩不懂。武松笑着说：“出了城，只要有酒店，你便请我喝三碗酒，否则便不过去。这个就叫'无三不过店'。”原来武松是越喝酒越有力气。

快到快活林时，武松已喝了四五十碗酒。他敞开布衫，装得十分醉，东倒西歪

131

地来到丁字路口的一个大酒店。只见店里一字排开摆着三个大酒缸，半截埋在地里，里面各有大半缸酒。柜台后面坐着蒋门神的小妾。

武松进去后故意找碴，嫌酒不好，并要让那小妾陪他。那小妾听了，破口大骂："天杀的，你

这该死的贼！"她推开柜子正想出来，武松把酒泼了，来到柜台边，一手抓住那女人的腰，一手揪住她的头发，隔了柜子将她提起来，丢到酒缸里。

蒋门神听到店小二禀报后，大吃一惊，

jí máng gǎn lái zhèng hǎo zhuàng jiàn wǔ sōng jiǎng mén shén yuán yǐ wéi
急忙赶来，正好撞见武松。蒋门神原以为

wǔ sōng hē zuì le kě yǐ zhàn xiē pián yi kě tā nǎ lǐ shì
武松喝醉了，可以占些便宜，可他哪里是

wǔ sōng de duì shǒu wǔ sōng shǐ chū píng shēng jué xué yù huán bù
武松的对手。武松使出平生绝学"玉环步"

yuān yāng jiǎo fēi qǐ yì jiǎo tī zhòng jiǎng mén shén de xiǎo fù
"鸳鸯脚"，飞起一脚踢中蒋门神的小腹，

téng de tā wǔ zhe dù zi dūn le xià qù wǔ sōng hòu jiǎo suí hòu
疼得他捂着肚子蹲了下去；武松后脚随后

yòu dào tī zhòng tā de é tóu jiǎng mén shén wǎng hòu biàn dǎo wǔ
又到，踢中他的额头，蒋门神往后便倒；武

sōng yòu shàng qián tà zhù tā de xiōng pú tí qǐ quán tou wǎng jiǎng mén
松又上前踏住他的胸脯，提起拳头往蒋门

shén liǎn shang dǎ jiǎng mén shén bèi dǎ de zài dì shang qiú ráo
神脸上打。蒋门神被打得在地上求饶。

wǔ sōng shuō ráo nǐ kě yǐ dàn bì xū dā ying wǒ sān
武松说："饶你可以，但必须答应我三

jiàn shì
件事。"

jiǎng mén shén jiào dào
蒋门神叫道：

hǎo hàn ráo mìng bú yào
"好汉饶命！不要

shuō sān jiàn sān bǎi jiàn
说三件，三百件

wǒ yě dā ying
我也答应。"

dì yī nǐ mǎ
"第一，你马

133

上将快活林还给施恩；第二，你让快活林各路英雄豪杰都来与施恩赔话；第三，你要离开快活林，连夜回乡，不许再在孟州住。"

蒋门神一一答应。从此，施恩重新拥有了快活林。

时间过得飞快，转眼已是深秋。管营的上司张都监突然让武松做他的亲随，并待他如亲人一般，让他可以在自己家里自由出入。没想到这张都监和蒋门神、张团练是一伙的，故意使计陷害武松，说他偷了张都监家的财物。武松被定了罪，发配到恩州牢城，快活林又被

jiǎng mén shén duó qù
蒋门神夺去。

zài qù ēn zhōu de tú zhōng wǔ sōng shā le nà liǎng gè bèi
在去恩州的途中，武松杀了那两个被

mǎi tōng yào shā hài tā de gōng chāi hé jiǎng mén shén de liǎng gè tú
买通要杀害他的公差和蒋门神的两个徒

dì tā bù jiě qì yòu lián yè gǎn huí mèng zhōu chéng shā le
弟。他不解气，又连夜赶回孟州城，杀了

zhāng dū jiān quán jiā hé zhāng tuán liàn jiǎng mén shén bìng zài qiáng shang
张都监全家和张团练、蒋门神，并在墙上

liú le xuè shū shā rén zhě dǎ hǔ wǔ sōng yě
留了血书："杀人者，打虎武松也！"

wǔ sōng shā rén hòu biàn qù tóu bèn shí zì pō zhāng qīng fū
武松杀人后便去投奔十字坡张青夫

fù tā men liǎng rén ràng tā zhuāng bàn chéng sēng rén dào èr lóng
妇。他们两人让他装扮成僧人，到二龙

shān lǔ zhì shēn nà lǐ rù huǒ
山鲁智深那里入伙。

十九　花荣大闹清风寨

　　宋江在柴进庄上住了半年后，又在白虎山孔太公处住了半年，后来因为思念清风寨知寨花荣，就去清风寨探望他。

　　宋江走到树木茂密的清风山时，被山寨大王燕顺用绊脚索给抓住了。燕顺得知他就是宋江后，连忙松绑，热情款待。

　　一天，山寨二头领王英抢了一个坐轿的女子，这女子是清风寨知寨刘高的妻子。宋江见她丈夫是花荣同僚，便央请燕顺放

了她。王英虽然万分不情愿，但见宋江义正词严，又保证以后一定为他娶妻，只好答应了。

宋江又住了六七天，便告别山寨好汉，前往不远的清风寨花荣那里。花荣箭法极好，能百步穿杨，人称"小李广"。花荣已经有五年没见过宋江，叙旧之后，便安排宴席热情款待宋江。

宋江将救刘知寨夫人的事情告诉花荣。花荣却皱眉说："兄长救错了！刘高

乱行法度，无所不为。他老婆老是挑拨他

残害良民，贪图贿赂。你救她干什么？！"

宋江却劝说道："冤家宜解不宜结，你们同

僚，更要好好

相处。"

宋江在花

荣寨中住了一

个多月，元宵

节到了，花荣

让几个亲随跟着宋江去镇上看花灯，没想

到碰见了刘高夫妇。那女子认出宋江，便

指给丈夫说，那就是清风山抢掳她的贼头。

刘高大吃一惊，便命人捉拿宋江，押

到厅前，问道："山贼，你也敢来看灯？"宋

江正要争辩，那女人又在刘高背后言语挑

唆，诬陷宋江。宋江被打得皮开肉绽，鲜血直流。

花荣得知后，大怒，带上弓箭，持枪上马，带了四五十个拖枪拽棒的军士，直奔刘高寨里。刘高吓得魂飞魄散，不敢出来，所以花荣很容易就把宋江救回来了。

刘高不甘心，急忙命两个教头带一二百人去花荣寨里夺人。只见花荣端坐在正厅，左手拿弓，右手拿箭，大声喝道："那两个教头，先见识我花知寨弓箭，不怕的

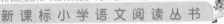

再进来！"搭上箭，拽满弓，喝声："着！"

正中左边门神的骨朵头。

花荣又取第二支箭，大叫道："我这第

二支箭要射右边

门神头盔上的红

缨！"嗖的一箭，

不偏不倚，正中缨

头上。

花荣取了第三

支箭，说："这一箭

要射你们队里穿白衣服的教头心窝。"那

教头叫声"哎呀"转身先逃，众人也跟着

一哄而散。

俗话说："将在谋而不在勇。"花荣虽

然勇猛，却不及刘高有谋略算计。刘高布

下局，趁宋江连夜去投清风山时，将他抓获。刘高又与青州知府派过来的兵马都监黄信密谋设计捉拿了花荣，和宋江一起押往青州。

黄信和刘高带了一百四五十人，走了不到三四十里，到了一座大林子时，燕顺他们冲出，救走了花荣和宋江，并把刘高给绑了带回山寨。花荣气不过，亲手杀了刘高。

霹雳火夜走瓦砾场

黄信一路狂奔，逃回清风镇大寨，又写申状急报慕容知府说："花荣勾结清风山强盗造反。"知府大惊，马上派青州指挥司总管本州兵马统制秦明前往清风寨。

秦明经常用的是一根狼牙棒，有万夫不挡之勇。因为他性格急躁，声音像打雷，因此人称"霹雳火"。秦明带兵来到清风山下。花荣和宋江早就得到消息，设下良计，先让小兵或东或西，引得秦明等人困马乏；预先用布袋堵住两溪的水，到了深夜时将秦明的人马逼入了溪里，再放开上面的水，急流淹死了大半军马；然后又用陷阱活捉了秦明。

秦明被带到山上，结识了宋江，得知事情真相后，表示要回去禀明慕容知府。但他坚决不肯背叛朝廷，拒绝了燕顺要他入伙的邀请。

第二天一早，秦明就告别众人回青州去了。到了城门下，兵士却不给他开门，慕容知府站在城墙上，大骂他造反，说他

zuó yè dài rén mǎ gōng chéng　qín míng tīng le mò míng qí miào　lián
昨夜带人马攻城。秦明听了莫名其妙，连

máng biàn jiě　zhī fǔ què bù kěn xiāng xìn tā　hái shuō yǐ shā le
忙辩解，知府却不肯相信他，还说已杀了

tā de qī ér　bìng lìng jūn shì tiāo chū qín míng qī ér de shǒu jí
他的妻儿，并令军士挑出秦明妻儿的首级

gěi tā kàn　qín míng fèi dōu qì zhà le　chéng shang shì bīng yòu fēn
给他看。秦明肺都气炸了，城上士兵又纷

fēn xiàng tā shè jiàn　tā zhǐ dé shùn yuán lù huí qù
纷向他射箭，他只得顺原路回去。

qín míng zǒu dào bàn lù　pèng dào sòng jiāng děng rén　tā zhè
秦明走到半路，碰到宋江等人，他这

cái zhī dào yuán lái　jiǎ mào qín míng gōng chéng shì sòng jiāng de　jì móu
才知道原来假冒秦明攻城是宋江的计谋，

shì wèi le ràng qín míng sǐ xīn tā dì de jiā rù tā men　qín
是为了让秦明死心塌地地加入他们。秦

míng jiàn shì yǐ zhì cǐ　yòu jiàn dà jiā rú cǐ xiāng jìng xiāng ài
明见事已至此，又见大家如此相敬相爱，

也就放心归顺了。第二天，秦明自告奋勇去说服黄信归顺，并捉拿刘高妻子，为宋江报仇雪恨。

黄信与秦明关系很好，立即答应入伙。两人将刘高一家杀光，并带回花荣的家眷。

十几天后，宋江他们整顿行装财物，放火烧了山寨，投奔梁山去了。途中，结识了小温侯吕方和赛仁贵郭盛，又遇上给宋江送家书的石勇，说宋江父亲去世了。宋江就回家去给父亲奔丧，其余人分成三路陆续上了梁山。

145

梁山各位好汉看了花荣射箭的本领后，无不钦佩，称他为"神臂将军"，让他排在林冲之后居第五位，秦明第六位，刘唐第七位，黄信第八位，然后是阮氏三兄弟，接着便是燕顺、王英、吕方、郭盛、郑天寿、石勇、杜迁、宋万、朱贵、白胜，一共二十一位好汉，齐聚梁山泊。

二十一 黑旋风斗浪里白条

　　宋江日夜兼程赶到家中，得知父亲仍然健在，只是太想念他，又怕他流落江湖，做了山贼，才骗他回来的。

　　当天晚上，宋江被闻讯而来的新任都头赵能兄弟带走，并被发配江州。途中经过梁山泊时，晁盖等人苦苦挽留，宋江却坚持要走。吴用只好给在江州做两院押牢节级的好友戴宗写了封信，让他好好照顾宋江。

147

半个月后，宋江和两个公差路过揭阳岭，结识了张横、"混江龙"李俊、"出洞蛟"童威和"翻江蜃"童猛，并答应张横带封家信给他在江州的弟弟张顺。

又行了几日，宋江便到了江州，认识了神行太保戴宗。一天，戴宗请宋江喝酒，并领来一个粗壮骠勇的男子，宋江见了问："这位兄弟是谁？"戴宗说："这是我身边的一个跟班，名叫李逵，乡里人都叫他'李铁牛'，又叫'黑旋风'，只是酒性不好。"说完，又向李逵介绍了宋江。李逵听了拍手叫道:"我的爷!你怎么不早说他是及时雨宋江?"说完翻身便拜。

李逵生性耿直,只是贪酒好赌,心粗胆大,常常醉后打人,又爱打抱不平,江州满城人都怕他。宋江却很欣赏他诚实耿直,三人一起到浔阳江边的琵琶酒楼喝酒,欣赏江州景致。

李逵大碗喝酒,吃饭也不用筷子,直接用手捞碗里的鱼,鱼不新鲜也不管,连骨头都嚼着吃光了。宋江见他这样吃法,

yòu yào le èr jīn yáng ròu　yě bèi tā fēng juǎn cán yún de chī guāng
又要了二斤羊肉，也被他风卷残云地吃光。

dài zōng wèn jiǔ bǎo hái yǒu méi yǒu xiān yú　diàn xiǎo èr shuō　jīn
戴宗问酒保还有没有鲜鱼，店小二说："今

tiān mài yú de rén hái méi lái　méi yǒu xiān yú
天卖鱼的人还没来，没有鲜鱼。"

lǐ kuí tīng le tiào qǐ lái　yào qù gěi sòng jiāng zhǎo xiān yú
李逵听了跳起来，要去给宋江找鲜鱼，

dài zōng méi quàn zhù tā　lǐ kuí jìng zhí lái dào jiāng biān　zǒu dào
戴宗没劝住他。李逵径直来到江边，走到

yú chuán shang dà shēng hè dào　nǐ men chuán shang yǒu huó yú　zhuā
渔船上大声喝道："你们船上有活鱼，抓

liǎng tiáo gěi wǒ
两条给我！"

yú rén bù gěi　lǐ kuí jiù zì jǐ shàng chuán qù zhuā　què
渔人不给，李逵就自己上船去抓，却

bù xiǎo xīn bǎ lán yú de zhú miè nòng kāi　　bǎ yú quán fàng guāng le
不小心把拦鱼的竹篾弄开，把鱼全放光了。

yú rén ná qǐ zhú gāo hé lǐ kuí dǎ le qǐ lái
渔人拿起竹篙和李逵打了起来。

zhèng zài zhè shí　　yú zhǔ rén gǎn lái dà shēng hè dào　　nǐ
正在这时，鱼主人赶来大声喝道："你

zhè rén chī le bào zi dǎn　　gǎn lái jiǎo lǎo zi de shēng yi
这人吃了豹子胆，敢来搅老子的生意！"

lǐ kuí yě bù huí huà　　lūn qǐ zhú gāo biàn dǎ　　nà hàn
李逵也不回话，抡起竹篙便打。那汉

zi duó le zhú gāo　　duì lǐ kuí quán dǎ jiǎo tī　　què bèi lǐ kuí
子夺了竹篙，对李逵拳打脚踢，却被李逵

yì bǎ bào zhù àn xià qù　　yòng quán tou bù tíng de dǎ　　zhè shí
一把抱住按下去，用拳头不停地打。这时，

sòng jiāng　　dài zōng gǎn dào　　quàn zhù lǐ kuí　　nà rén cái dé yǐ tuō
宋江、戴宗赶到，劝住李逵，那人才得以脱

shēn　　yí liù yān zǒu le
身，一溜烟走了。

guò le yí huì er　　nà rén yòu chēng chuán gǎn guò lái　　yòng
过了一会儿，那人又撑船赶过来，用

jī jiàng fǎ jiāng lǐ kuí jī shàng
激将法将李逵激上

chuán　　xíng shǐ dào jiāng xīn jiāng
船，行驶到江心将

chuán yì fān　　bǎ lǐ kuí nòng dào
船一翻，把李逵弄到

le shuǐ li
了水里。

lǐ kuí suī rán lù shang
李逵虽然陆上

yǒng měng　dàn bú huì yóu yǒng　bèi dà hàn yì tí yí àn de yān
勇猛，但不会游泳，被大汉一提一按地淹

le jǐ shí xià　sòng jiāng dé zhī nà rén shì làng li bái tiáo zhāng
了几十下。宋江得知那人是浪里白条张

shùn　biàn jiào dài zōng ràng tā zhù shǒu　shuō yǒu jiā shū gěi tā
顺，便叫戴宗让他住手，说有家书给他。

　　　sì rén dào pí pá tíng chóng xīn jiè shào rèn shi　lǐ kuí hé
　　四人到琵琶亭重新介绍认识，李逵和

zhāng shùn bù dǎ bù xiāng shí　chéng wéi hǎo yǒu　lǐ kuí shuō　nǐ
张顺不打不相识，成为好友。李逵说："你

zài lù shang bié pèng jiàn wǒ　zhāng shùn dào　wǒ jiù zài shuǐ li
在陆上别碰见我。"张顺道："我就在水里

děng nǐ hǎo le　shuō zhe　sì rén dōu dà xiào qǐ lái
等你好了。"说着，四人都大笑起来。

152

二十二

浔阳楼
宋江题反诗

yì tiān sòng jiāng jìn chéng xiǎng qù jiàn dài zōng què méi zhǎo
一天，宋江进城想去见戴宗，却没找

zháo yú shì dú zì yì rén mèn mèn bú lè de zǒu chū chéng wài
着，于是独自一人，闷闷不乐地走出城外，

bù jué lái dào zhù míng de xún yáng lóu
不觉来到著名的浔阳楼。

sòng jiāng diǎn le xiē jiǔ cài yì rén dú yǐn bù jué hē
宋江点了些酒菜，一人独饮，不觉喝

duō le xiǎng qǐ zì jǐ de shēn shì gōng bù chéng míng bú jiù wú
多了，想起自己的身世，功不成名不就，无

xiàn shāng huái bù jīn shān rán lèi xià
限伤怀，不禁潸然泪下。

tā zhǎo lái bǐ yàn chèn zhe jiǔ xìng zài qiáng bì shang xiě
他找来笔砚，趁着酒兴，在墙壁上写

qǐ shī lái tā xiě le yì shǒu xī jiāng yuè yòu zài hòu miàn
起诗来。他写了一首《西江月》，又在后面

xiě xià sì jù shī
写下四句诗：

心在山东身在吴，飘蓬江海漫嗟吁。

他时若遂凌云志，敢笑黄巢不丈夫！

并题上"郓城宋江作"。

写罢，他把笔扔在桌上，又喝了几杯

酒，结了账，踉踉跄跄地回营，倒头就睡。

第二天酒醒后，他也就忘了自己在浔阳楼

题诗的事。

江州有个通判黄文炳，心胸狭窄，善

于阿谀奉承。一天，黄文炳无意中在浔阳

楼看到宋江写的诗，便认定是反诗，他当

即抄了下来，第二天就送到知府蔡九家去了。这蔡九正是蔡京的儿子，他连忙升堂，叫两院押牢节级戴宗去抓浔阳楼题反诗的宋江。

戴宗听罢大吃一惊，出府叫各衙役回家取器械，自己赶到营里通知宋江。宋江这才想起这回事，慌得不知怎么办才好。

戴宗想出一计，让宋江装疯。

蔡九不相信宋江疯了，命人将他打得皮开肉绽，血肉模糊。宋江受不了，只好招认"误写反诗"，被押入大牢。然后，蔡九派戴宗送信给蔡太师禀明情况。

戴宗不敢不依，离开江州，两天后到了山东境内。

他刚好在朱贵开的酒店歇息，被麻昏了。朱贵从他身上搜出一封信，看罢，得知宋江入狱，送信的是戴宗，连忙把他救醒，送上山寨。

梁山好汉当下将计就计，找人模仿蔡京笔迹写回信，只说将宋江秘密押送回东京，准备等他们经过梁山泊时好救人。但他们一时疏忽，忘了父子应该避名讳，在信尾用了"翰林蔡京"的印章。

dài zōng huí dào jiāng zhōu jiāo shàng huí xìn jié guǒ bèi huáng
戴宗回到江州，交上回信，结果被黄

wén bǐng kàn chū pò zhàn cài jiǔ biàn pàn tā sī tōng liáng shān qī
文炳看出破绽。蔡九便判他私通梁山，七

rì hòu yǔ sòng jiāng yì tóng zhǎn shǒu
日后与宋江一同斩首。

zhǎn shǒu nà tiān cháo gài děng shí qī wèi hǎo hàn fēn chéng sì
斩首那天，晁盖等十七位好汉分成四

huǒ hùn rù fǎ chǎng dà jiā yì qǐ fèn lì shā dí lǐ kuí
伙，混入法场。大家一起奋力杀敌，李逵

gèng shì yǒng měng wú bǐ bǎ liǎng bǎ fǔ tóu wǔ de hū hū zuò
更是勇猛无比，把两把斧头舞得呼呼作

xiǎng zhòng rén jié le fǎ chǎng jiù chū le sòng jiāng hé dài zōng
响。众人劫了法场，救出了宋江和戴宗，

chū le chéng dào le jiāng biān
出了城，到了江边。

zhèng chóu bù zhī zěn me guò jiāng yòu qiǎo yù zhāng shùn děng rén
正愁不知怎么过江，又巧遇张顺等人

jià zhe sān zhī dà chuán guò lái　　zhòng rén máng zuò shàng dà chuán　guò

驾着三只大船过来。众人忙坐上大船，过

jiāng zǒu le

江走了。

　　zhāng shùn 　lǐ kuí děng rén dōu gēn zhe sòng jiāng jiā　rù dào liáng

张顺、李逵等人都跟着宋江加入到梁

shān pō 　cháo gài qǐng sòng jiāng dāng shān zhài zhī zhǔ 　sòng jiāng jí 　lì

山泊。晁盖请宋江当山寨之主，宋江极力

tuī ràng 　zuì hòu 　hái shi cháo gài dì　yī 　sòng jiāng zuò le dì　èr

推让，最后，还是晁盖第一，宋江坐了第二

bǎ jiāo yǐ 　zhì cǐ 　liáng shān pō gòng jù qí sì shí wèi hǎo hàn

把交椅。至此，梁山泊共聚齐四十位好汉。

二十三 黑旋风沂岭杀四虎

sòng jiāng zài liáng shān pō ān dùn hǎo hòu dān xīn fù qīn hé
宋江在梁山泊安顿好后，担心父亲和

dì di bèi bǔ jiù xià shān qù bǎ tā men jiē le lái jiē zhe
弟弟被捕，就下山去把他们接了来。接着，

gōng sūn shèng yě yào huí jì zhōu tàn wàng mǔ qīn qù hēi xuàn fēng
公孙胜也要回蓟州探望母亲去。黑旋风

lǐ kuí tū rán fàng shēng dà kū qǐ lái zhè ge qù jiē diē nà
李逵突然放声大哭起来："这个去接爹，那

ge qù kàn niáng piān ǎn tiě niú shì tǔ kēng li zuān chū lái de
个去看娘，偏俺铁牛是土坑里钻出来的！"

tā yě yào huí jiā bǎ niáng jiē lái xiǎng lè
他也要回家把娘接来享乐。

sòng jiāng pà tā rě shì ràng lǐ kuí liú xià tā de liǎng bǎ
宋江怕他惹事，让李逵留下他的两把

fǔ zi yí lù shang bù zhǔn hē jiǔ yí gè rén qiāo qiāo de jiē
斧子，一路上不准喝酒，一个人悄悄地接

le lǎo niáng biàn huí lái lǐ kuí dā ying le mǎ shàng jiù shōu shi
了老娘便回来。李逵答应了，马上就收拾

包裹，挎一口腰刀，提一条朴刀，带了些银子，便下山去了。宋江还是不放心，便让

李逵的同乡朱贵悄悄跟去，暗中相助。

李逵独自一人离开了梁山泊，一路上真的不喝酒，不惹事。几天后，便到了沂水县界，在西门外，见一群人围着看榜。李逵挤进人群，听人读道："榜上第一名正贼宋江，郓城县人；第二名从贼戴宗，原是江州两院押狱；第三名从贼李逵，是沂州沂

shuǐ xiàn rén
水县人。"

李逵听了很生气，正要发作，被朱贵
冲出来拦腰抱住，拖走了。两人便一同到
朱贵兄弟朱富的酒店里坐下。朱富摆酒
款待李逵。朱贵马上提醒李逵，让他不要
喝酒。可李逵说道："公明哥哥吩咐我不
要喝酒，可今天我已到了乡里，喝两碗不
要紧。"朱贵不敢阻拦，只好由着他喝。

喝完酒，趁晓星残月，李逵提了朴刀，
挎上腰刀，别了朱贵、朱富，向百丈村走去。

大约走了几十里，在一个林子里李逵遇到假冒自己打劫财物的李鬼。李逵本想结果了他的性命，但听说他有九十岁老母亲要养，就饶了他，还给了他十两银子，叫他改行。

李逵继续往山里偏僻的小路走，到了中午，又饥又渴，突然看见山坳有两间草屋，就奔了过去，对屋里走出来的一个年轻女子说："嫂子，我是过路人，找不到酒店。我给你钱，你弄些酒饭给我吃。"那妇人不敢回绝，便去烧火做饭。

lǐ kuí dào wū hòu shān biān shàng máo fáng　hū rán kàn jiàn lǐ
李逵到屋后山边上茅房，忽然看见李

guǐ yì qué yì guǎi de cóng shān hòu huí lái　biàn zhuǎn dào wū hòu
鬼一瘸一拐地从山后回来，便转到屋后

tīng tā men shuō huà　yuán lái nà nǚ zǐ shì lǐ guǐ de lǎo po
听他们说话。原来那女子是李鬼的老婆，

dāng lǐ guǐ dé zhī lǐ kuí zài zì jǐ jiā shí　biàn hé qī zi
当李鬼得知李逵在自己家时，便和妻子

shāng yì yòng má yào má dǎo lǐ kuí　duó tā de jīn yín
商议用麻药麻倒李逵，夺他的金银。

lǐ kuí tīng le dà nù　gǎn dào mén qián　yì bǎ jiū zhù
李逵听了大怒，赶到门前，一把揪住

lǐ guǐ　jié guǒ le tā de xìng mìng　nà fù rén huāng máng pǎo le
李鬼，结果了他的性命，那妇人慌忙跑了。

xī yáng xī xià shí　lǐ kuí gǎn dào jiā zhōng　jiàn niáng shuāng
夕阳西下时，李逵赶到家中，见娘双

yǎn dōu kū xiā le　dà hǎn　niáng tiě niú huí jiā lái le
眼都哭瞎了，大喊："娘！铁牛回家来了！"

163

李逵骗母亲说自己做了官，特地回来接她的，背了娘就走。李逵背了娘，趁着星明月朗，一步步上了沂岭。走了很久，李逵娘口渴难忍，于是，李逵把娘放在松树边的大青石上，又把朴刀插在娘的身边，就去给娘找水喝。

李逵找水回来，却不见了娘，只见朴刀插在那里。李逵到处找，却不见娘的踪影，只见草地上一摊血迹。李逵见了，心里越发疑惑，他循着那血迹找到一个

dà dòng kǒu zhǐ jiàn liǎng zhī xiǎo lǎo hǔ zài nà lǐ sī chě yì tiáo
大洞口，只见两只小老虎在那里撕扯一条
rén tuǐ
人腿。

lǐ kuí zhī dào niáng kěn dìng shì bèi lǎo hǔ chī le xīn tóu
李逵知道娘肯定是被老虎吃了，心头
huǒ qǐ jiāng shǒu zhōng de yāo dāo tǐng qǐ lái shā nà liǎng zhī xiǎo
火起，将手中的腰刀挺起，来杀那两只小
lǎo hǔ zhè liǎng zhī xiǎo lǎo hǔ yě zhāng yá wǔ zhǎo de xiàng qián
老虎。这两只小老虎也张牙舞爪地向前
pū lái bèi lǐ kuí shǒu qǐ dāo luò xiān hòu shā sǐ le zhè
扑来，被李逵手起刀落，先后杀死了。这
shí mǔ lǎo hǔ wǎng wō biān zǒu lái lǐ kuí shǐ jìn píng shēng lì
时，母老虎往窝边走来。李逵使尽平生力
qì bǎ dāo cháo mǔ lǎo hǔ wěi ba dǐ xia yì chuō lián dāo bà yě
气把刀朝母老虎尾巴底下一戳，连刀把也
chā rù mǔ lǎo hǔ dù zhōng nà lǎo hǔ hǒu le yì shēng dài zhe
插入母老虎肚中。那老虎吼了一声，带着
dāo tiào guò jiàn biān qù le
刀，跳过涧边去了。

lǐ kuí ná le pō dāo gǎn chū lái zhǐ jiàn yì zhī diào jīng
李逵拿了朴刀赶出来。只见一只吊睛
bái é hǔ cháo zì jǐ pū lái lǐ kuí bù huāng bù máng shùn zhe
白额虎朝自己扑来。李逵不慌不忙，顺着
nà lǎo hǔ de shì lì shǒu qǐ dāo luò zhèng zhòng nà lǎo hǔ hé
那老虎的势力，手起刀落，正中那老虎颌
xià shāng le qì guǎn nà lǎo hǔ tuì bú dào wǔ bù hōng de
下，伤了气管。那老虎退不到五步，轰地
dǎo xià
倒下。

山下的猎户得知李逵杀了四虎，没人相信。李逵便带众人上山去看。众人抬了四虎，拥着李逵去山下曹太公庄上领赏。曹太公问他的名字。李逵道："我姓张，叫张大胆。"

人群中李鬼的老婆认出李逵，暗中向曹太公告密。那曹太公用计灌醉李逵，将他绑了起来，并派本县都头李云前去押送李逵。

这李云是朱贵的兄弟朱富的师父。朱富摆酒招待他们时，麻倒了李云等人，救出李逵，又劝说李云一同投奔梁山泊。

宋公明三打祝家庄

　　gōng sūn shèng xià shān sān gè duō yuè yì zhí méi yǒu xiāo xi
公孙胜下山三个多月一直没有消息，

sòng jiāng děng zhòng tóu lǐng hěn wèi tā dān xīn　jiù ràng dài zōng qù tàn
宋江等众头领很为他担心，就让戴宗去探

tīng gōng sūn shèng de xià luò
听公孙胜的下落。

　　dài zōng lí kāi liáng shān pō　wǎng jì zhōu fāng xiàng qù　　yí
戴宗离开梁山泊，往蓟州方向去，一

lù shang jié shí le jǐn bào zi yáng lín　　huǒ yǎn suān ní dèng fēi
路上结识了锦豹子杨林、火眼狻猊邓飞、

yù fān gān mèng kāng děng yīng xióng hǎo hàn　　dài zōng dā yìng hé yáng
玉幡竿孟康等英雄好汉。戴宗答应和杨

lín qù jì zhōu jiàn guò gōng sūn shèng hòu　biàn dài dèng fēi děng rén tóu
林去蓟州见过公孙胜后，便带邓飞等人投

bèn liáng shān
奔梁山。

　　dì èr tiān　　dài zōng hé yáng lín xià shān gǎn wǎng jì zhōu
第二天，戴宗和杨林下山赶往蓟州，

kě hái shi méi yǒu tàn tīng dào gōng sūn shèng de xiāo xi　què pèng dào
可还是没有探听到公孙胜的消息，却碰到

le pīn mìng sān láng shí xiù　sān rén zài jiǔ diàn li hē jiǔ　què
了拼命三郎石秀。三人在酒店里喝酒，却

jiàn liǎng yuàn yā yù bìng guān suǒ yáng xióng dài zhe èr shí jǐ gè gōng
见两院押狱病关索杨雄带着二十几个公

chāi gǎn rù jiǔ diàn　dài zōng hé yáng lín dà chī yì jīng　huāng máng
差赶入酒店。戴宗和杨林大吃一惊，慌忙

xiān zǒu le
先走了。

　　yuán lái yáng xióng shì lái zhǎo shí xiù de　bìng hé tā jié yì
　　原来杨雄是来找石秀的，并和他结义

chéng le xiōng dì　rán hòu　yáng xióng bǎ shí xiù lǐng dào le zì jǐ
成了兄弟。然后，杨雄把石秀领到了自已

jiā li　bìng bǎ qī zi jiào lái yǔ zì jǐ de xiōng dì jiàn miàn
家里，并把妻子叫来与自已的兄弟见面。

hòu lái　shí xiù shí pò le yáng xióng qī zi de jiān qíng　shā le
后来，石秀识破了杨雄妻子的奸情，杀了

nà jiān fū　yáng xióng shā le qī zi
那奸夫，杨雄杀了妻子。

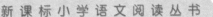

liǎng rén tóu bèn liáng shān　　lù shang pèng dào zhuān ài tōu dōng xi
两人投奔梁山，路上碰到专爱偷东西

de gǔ shang zǎo shí qiān　　sān rén biàn yì　qǐ gǎn wǎng liáng shān pō
的鼓上蚤时迁，三人便一起赶往梁山泊。

sān rén lái dào dú lóng gāng zhù jiā zhuāng tóu sù chī fàn shí　shí qiān
三人来到独龙冈祝家庄投宿吃饭时，时迁

zéi xìng bù gǎi　　tōu le diàn li bào xiǎo de gōng jī lái chī　diàn
贼性不改，偷了店里报晓的公鸡来吃。店

xiǎo èr fā xiàn hòu　　dìng yào jiāng sān rén dàng zuò liáng shān zéi kòu yā
小二发现后，定要将三人当做梁山贼寇押

sòng guān fǔ　　sān wèi hǎo hàn dà nù　　yì bǎ huǒ shāo le zhù jiā
送官府。三位好汉大怒，一把火烧了祝家

diàn　shā le shí jǐ gè zhuāng kè　　shí qiān què yí bù liú shén bèi
店，杀了十几个庄客，时迁却一不留神，被

zhuō zǒu le
捉走了。

yáng xióng　　shí xiù zài yì jiā jiǔ diàn zhōng pèng dào dù xīng
杨雄、石秀在一家酒店中碰到杜兴，

tā yīn liǎn zhǎng de bǐ jiào cū mǎng　　rén chēng guǐ liǎn er　yě céng
他因脸长得比较粗莽，人称鬼脸儿，也曾

在蓟州得到过杨雄的救助。

杜兴说:"这独龙冈有三个村,中间是

祝家庄,西边

是扈家庄,东

边是李家庄,

共有一两万军

马。祝家庄有

祝氏三杰,还

有一个教师,叫做铁棒栾廷玉,很厉害。扈家庄 庄主有个儿子叫飞天虎扈成,再加上女儿一丈青扈三娘,也很了不得。李家庄 庄主却是我的主人,江湖人称扑天雕李应。这三个村结下生死誓愿,要同患难、共甘苦。我今天就领你们到李家庄,求李大官人搭救时迁。"

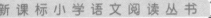

不料祝家庄丝毫不给面子，还伤了李应。杨雄、石秀忙赶到梁山泊，恳请晁盖、宋江救时迁。

宋江带领众多兵马前来攻打祝家庄，因为祝家庄内道路曲折复杂，树木茂密，而梁山好汉又都不熟悉庄内地形，所以两次进攻都失败了，不但没有救出时迁，反被活捉了几名头领。

宋江很是着急，这时，吴用带着八位新入伙的好汉赶来，其中，病尉迟孙立原是登州兵马提辖，自幼与祝家庄教师栾廷

yù tóng mén xué yì　sūn lì zì gào fèn yǒng　dǎ zhe　dēng zhōu
玉同门学艺。孙立自告奋勇，打着"登州

bīng mǎ tí xiá　de qí hào　lǐng zhe yí duì rén mǎ　lái dào zhù
兵马提辖"的旗号，领着一队人马，来到祝

jiā zhuāng shuō shì lái bāng zhù tā men jiǎo miè zéi rén de　dì èr
家庄，说是来帮助他们剿灭贼人的。第二

tiān　liǎng jūn jiāo zhàn shí　sūn lì huó zhuō le liáng shān pō jǐ wèi
天，两军交战时，孙立活捉了梁山泊几位

hǎo hàn　huò dé le zhù jiā zhuāng de　xìn rèn
好汉，获得了祝家庄的信任。

　　guò le jǐ tiān　sòng jiāng dì sān cì gōng dǎ zhù jiā zhuāng
　　过了几天，宋江第三次攻打祝家庄，

dà jiā lǐ yìng wài hé　zhōng yú dǎ xià le zhù jiā zhuāng sòng jiāng
大家里应外合，终于打下了祝家庄。宋江

yòu shè jì ràng lǐ yīng　dù xīng yě jiā rù liáng shān hǎo hàn zhōng
又设计让李应、杜兴也加入梁山好汉中。

dà jiā yì qǐ huí dào liáng shān pō
大家一起回到梁山泊。

二十五 吴用使时迁盗甲

　　宋江又率梁山好汉大破高唐州，杀死高廉，消息传到东京，太尉高俅大怒。他奏明道君皇帝，推荐汝宁郡都统制呼延灼前去剿捕梁山好汉，要荡平梁山泊，以绝心腹之患。

　　呼延灼是开国之初河东名将呼延赞的嫡孙，用的兵器是两条铜鞭。他接了圣旨之后，骑着御赐的"踢雪乌骓马"，与副将百胜将军韩滔、天目将军彭玘，率领三千

精锐马兵、五千步兵，浩浩荡荡地杀向梁
山泊。

梁山泊好汉也已经安排好阵势准备迎
战。两军初对阵，梁山泊好汉用车轮战术，
打败官兵，并活捉了彭玘，说服他归顺了
梁山。

第二天，两军再次交锋，呼延灼用连
环马战术大获全胜，活捉了梁山五百多
人，夺得战马三百多匹，杀死军士不计其数。

随后呼延灼派人前去京师报捷，并向

太尉府索求炮手凌振。于是轰天雷凌振
带了风火炮、金轮炮、子母炮和烟火药料，
前来攻打梁山泊。

梁山好汉们
听说后，尽皆失
色。晁盖却想出
一招诱敌深入的
妙计：派人将凌
振诱上船，然后
让李俊等水军头领在水中活捉他。凌振
果然中计，被活捉并带上了山寨。他见宋
江对他礼遇有加，加上彭玘劝说，也归顺
了梁山泊。

但是要破呼延灼的连环马就要用钩镰
枪法，而这种枪法只有金钱豹子汤隆的表

哥徐宁会。为了请到徐宁,时迁和汤隆一起到了东京。时迁潜入徐家,偷了徐宁家传的雁翎圈金甲,而汤隆则假意领他去追贼,将他引到梁山泊附近,用药酒把他迷倒,送上梁山。徐宁见妻儿也被他们接到山寨,又见宋江盛情邀请,只好加入他们。宋江命人打造好钩镰枪,徐宁挑选了六七百精兵,尽心传授钩镰枪法。不到半月,那七百精锐壮健之人都已学会了这套枪法。

shí jǐ tiān hòu sòng
十几天后，宋

jiāng jiù yòng zhè gōu lián qiāng
江就用这钩镰枪

fǎ pò le hū yán zhuó de
法破了呼延灼的

lián huán mǎ hū yán zhuó
连环马。呼延灼

de lián huán mǎ dōu bèi liáng
的连环马都被梁

shān hǎo hàn men zhuō qù
山好汉们捉去，

hán tāo yě bèi liú táng
韩滔也被刘唐、

shí qiān zhuō zhù bìng zài
时迁捉住，并在

sòng jiāng de quàn shuō xià jiā rù le liáng shān pō
宋江的劝说下加入了梁山泊。

hū yán zhuó jiàn sǔn shī le xǔ duō jūn guān rén mǎ bù gǎn
呼延灼见损失了许多军官人马，不敢

huí qù dú zì qí zhe nà pǐ tī xuě wū zhuī mǎ qù tóu bèn
回去，独自骑着那匹踢雪乌骓马，去投奔

qīng zhōu mù róng zhī fǔ tú jīng táo huā shān shí bú liào yòu bèi
青州慕荣知府。途经桃花山时，不料又被

táo huā shān qiáng zéi dǎ hǔ jiàng lǐ zhōng xiǎo bà wáng zhōu tōng dào qù
桃花山强贼打虎将李忠、小霸王周通盗去

le yù cì de tī xuě wū zhuī mǎ
了御赐的踢雪乌骓马。

jǐ tiān hòu hū yán zhuó shuài lǐng liǎng qiān duō rén gōng dǎ táo
几天后，呼延灼率领两千多人攻打桃

花山，鲁智深、杨志、武松等人从二龙山赶
来相助李忠。不料，"毛头星"孔明攻打青
州时，在城外被呼延灼活捉，他的弟弟独
火星孔亮恰逢武松。大家便商议让孔亮
去梁山泊请众好汉前来帮忙攻打青州。

没多久，宋江
便带着三千多人，
二十个头领杀向青
州。智多星吴用设
计用陷阱活捉了呼
延灼，并说服他一
同入伙。

第二天，呼延
灼便带了十位头领，骗开青州城门，宋江
引大队人马随后跟进，大破青州城，将残

害百姓的慕容知府全家斩首。三队人马
大获全胜，一起随宋江回到梁山泊。

几个月后，鲁智深和武松又去少华山
请了史进、朱武、陈达、杨春前来梁山泊
入伙。

不多久，梁山泊又收了徐州芒砀山落
草的好汉。为首的混世魔王樊瑞，能呼风
唤雨，用兵如神；他手下还有两个副将，八
臂哪吒项充和飞天大圣李衮。至此，梁山
泊又添了许多好汉。

二十六 攻曾头市 晁天王归天

一天，宋江在路上碰到前来投奔的金毛犬段景住。此人在北部边境偷马为生。

他说他久闻宋江大名，如今偷得大金国王子的坐骑照夜玉狮子马，想献给宋江。谁知路过凌州曾头市时，马被曾家五虎夺去，当他说这马是送给梁山泊宋公明时，他们不但不交出马，还出言不逊，辱骂宋江与梁山泊。

宋江见段景住谈吐不俗，便带他一同

上了山寨，并让戴宗前去曾头市探听那匹马的下落。几天后，戴宗回来说曾家五虎与梁山泊势不两立，要捉尽山寨头领，荡平梁山泊，而那匹千里马，现在是曾家教师史文恭的坐骑。

晁盖听后大怒，决定亲自去走一趟，并发誓，不捉到这些人，决不回来。

宋江劝阻道："大哥是山寨之主，不可轻动，还是我去吧。"

晁盖不听，亲自带了林冲等二十位头

领，点了五千人马，杀向曾头市，誓要捉拿曾家五虎。其余头领都和宋江、吴用坐守山寨。

晁盖率领五千人马来到曾头市附近，扎下寨栅。第二天，在柳林中，林冲就和曾家第四子曾魁大战了二十回合，曾魁斗不过，赶紧撤退了。第三天，两军正式对阵，双方混战，各有损伤，各自收兵回营。

一连三天，晁盖带人去挑战，曾家五虎均拒不应战。第四天，忽然有两个和尚来寨里投拜晁盖，自称是曾头市东边法华寺僧人，平时常被曾家五虎欺辱勒索，特地来请晁盖去劫寨，剿除曾家五虎，为民除害。晁盖听了非常高兴，摆酒设宴款待他们。

林冲劝道："大哥，不要轻信他们，说不定里面有诈。"

可晁盖不听林冲的劝告，吃过晚饭后，就带着一半军马跟着和尚来到法华寺，准备偷袭曾头市。结果，晁盖果然中了圈套，被曾头市的人马包围。

晁盖连忙带领众人往外冲杀，混乱中，晁盖的脸被箭射中，倒下马来。呼延灼、燕顺拼死杀过去，后面

184

刘唐、白胜救了晁盖上马，杀出村来。村口林冲率军接应，大家护着晁盖回到营中。

晁盖中的是毒箭，上面还刻着"史文恭"三个字。晁盖昏迷过去，林冲等人带晁盖返回梁山。

梁山泊的各位头领都来看望晁盖，晁盖已浑身浮肿，水米不进了。宋江守在晁盖床前，亲自给晁盖喂药。

到了半夜，晁盖身体沉重，转头看着宋江，嘱咐道："贤弟保重。若哪个捉住射

死我的人，便叫他做梁山泊主。"说完，就死了。

宋江见状，哭得死去活来。大家好不容易劝住他，让他出来主持大局。

山寨中头领都举哀戴孝，追悼晁天王。那支毒箭就供在晁盖的灵前。宋江每日领众举哀，无心管理山寨事务。

林冲与公孙胜、吴用等头领商议，立宋公明为梁山泊主。

宋江坚决不肯，林冲劝他说："国不可一日无君，家不能一日无主。晁头领既已

guī tiān　shān zhài qǐ néng wú zhǔ　sì hǎi zhī nèi　shéi méi tīng
归天，山寨岂能无主？四海之内，谁没听

shuō gē ge de dà míng　nǐ jiù bú yào zài tuī cí le　zuò wǒ
说哥哥的大名？你就不要再推辞了，做我

men yí zhài zhī zhǔ　dà jiā yí dìng tīng cóng nǐ de hào lìng
们一寨之主，大家一定听从你的号令。"

　　sòng jiāng jīng bu zhù gè wèi tóu lǐng de yí zài quàn shuō　biàn
宋江经不住各位头领的一再劝说，便

dā ying zàn shí dài wéi zhài zhǔ　děng shéi zhuō dào shè sǐ cháo gài de
答应暂时代为寨主，等谁捉到射死晁盖的

rén　wèi cháo gài bào chóu hòu zài àn cháo gài lín zhōng zhǔ fù de ràng
人，为晁盖报仇后再按晁盖临终嘱咐的让

tā dāng liáng shān zhài zhǔ
他当梁山寨主。

　　yú shì　sòng jiāng jiù zuò le liáng shān pō dì yī bǎ jiāo yǐ
于是，宋江就坐了梁山泊第一把交椅，

bìng chóng xīn fēn pài　què lì rèn wu　dà jiā gè sī qí zhí
并重新分派，确立任务，大家各司其职。

二十七 吴用智降玉麒麟

　　一天，宋江他们请到一名北京大名府龙华寺的僧人来给晁盖做法事。当宋江问起北京的风云人物时，那和尚向宋江提起河北玉麒麟。

　　原来这玉麒麟是北京城里的卢大员外，姓卢名俊义，一身好武艺，棍棒天下无双。宋江听了心想：梁山泊里要是有了他，以后就不用怕官兵的剿捕了。于是他就想收拢卢俊义归顺梁山泊。

吴用自荐要凭三寸不烂之舌说服卢俊义归顺。黑旋风李逵听说后非要跟去。吴用要他答应"不喝酒、做道童、装哑巴"三个条件后，就带着他向北京出发了。

　　吴用和李逵两人来到北京城外的客店，装扮好后进城。吴用穿一身黑边白绢道服，手拿一副铜铃杵；李逵穿一身粗布短褐袍，挑着"讲命谈天，卦金一两"的纸招牌。两人摇摇摆摆地往卢俊义门前走去。他们在卢俊义门外自歌自笑，走来走

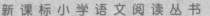
去，后面跟着五六十个小孩，看了直笑。

卢俊义在家里，听到街上喧闹，觉得奇怪，找仆人问清后，便让仆人请了吴用给自己算命。

吴用将铁算子摆在桌上，假装算了一回，说卢俊义在一百天内将有血光之灾，若要避开就得去东南方一千里之外。并让卢俊义将下面这四句卦歌写在墙上：

芦花丛里一扁舟，俊杰俄从此地游。

义士若能知此理，反躬逃难可无忧。

可卢俊义哪里知道，这卦歌是首藏头诗，把每句话的第一个字连起来便是"卢俊义反"，这正是吴用设下的计。

卢俊义自从算卦后，坐立不安。

第二天，他把家中安排妥当，带上管家李固去东岳泰山烧香。去山东泰安要从梁山泊边经过，这也是吴用的计谋。

卢俊义不知不觉中了圈套，被梁山泊好汉生擒活捉上梁山，但卢俊义拒不入伙，宋江等人便答应不会逼他留在梁山。

卢俊义坚持要回去，怕官府知道连累一家

^{lǎo xiǎo} ^{wú yòng shuō} ^{zhè shì róng yì} ^{xiān jiào lǐ gù sòng chē}
老小。吴用说："这事容易，先叫李固送车

^{liàng huí jiā qù} ^{gěi jiā li rén shuō yì shēng nín suí hòu jiù dào}
辆回家去，给家里人说一声您随后就到，

^{méi shén me dà bu liǎo de}
没什么大不了的。"

^{lú jùn yì fēn fù lǐ gù xiān huí jiā zhōng gào su jiā rén}
卢俊义吩咐李固先回家中，告诉家人

^{bú yào wèi zì jǐ dān yōu shuō zì jǐ sān sì tiān biàn huí qù}
不要为自己担忧，说自己三四天便回去。

^{lǐ gù zhǐ qiú tuō shēn gēn běn bù guǎn lú jùn yì de sǐ huó}
李固只求脱身，根本不管卢俊义的死活，

^{mǎn kǒu dā ying zhe}
满口答应着。

^{lú jùn yì jǐ cì sān fān shuō yào huí qù kě shì liáng shān}
卢俊义几次三番说要回去，可是梁山

^{pō tóu lǐng lún liú bǎi yán xí qǐng tā hē jiǔ bù zhī bù jué tíng}
泊头领轮流摆筵席请他喝酒，不知不觉停

留了四个多月，才辞别众人，赶回家中。

李固早就和夫人勾搭，趁机告卢俊义谋反，并夺了卢家财物。卢俊义被押入大牢，多亏梁山泊好汉上下打点，最后从轻发落，发配到三千里外的沙门岛。

在押送途中，当年在野猪林想害林冲的董超、薛霸又要害卢俊义性命，幸亏卢俊义的贴身家人浪子燕青及时救了卢俊义，并杀了这两名公差。

不料两个公差的尸体被人发现，卢俊

yì yòu bèi zhuā huí láo li　děng hòu chǔ zhǎn　　yān qīng jí máng gǎn
义又被抓回牢里，等候处斩。燕青急忙赶

wǎng liáng shān pō bào xìn　lù shang zhèng pèng dào qù běi jīng dǎ ting
往梁山泊报信，路上正碰到去北京打听

lú yuán wài xiāo xi de yáng xióng　shí xiù　dāng xià yáng xióng yǔ yān
卢员外消息的杨雄、石秀。当下杨雄与燕

qīng huí shān zhài bào xìn　shí xiù qù běi jīng dǎ ting xiāo xi
青回山寨报信，石秀去北京打听消息。

shí xiù dé zhī dàng tiān wǔ shí sān kè jiù yào zhǎn lú jùn
　　石秀得知当天午时三刻就要斩卢俊

yì　shí jiān jǐn pò　tā biàn yì rén jié le fǎ chǎng tuō zhe lú
义，时间紧迫，他便一人劫了法场，拖着卢

jùn yì jiù zǒu　wú nài shí xiù bú rèn de běi jīng de lù　lú
俊义就走。无奈石秀不认得北京的路，卢

jùn yì yòu jīng dāi le　zǒu bu dòng　liǎng rén yòu bèi liáng zhōng shū
俊义又惊呆了，走不动，两人又被梁中书

zhuā zhù　yā rù sǐ láo
抓住，押入死牢。

二十八 宋公明 夜打曾头市

梁中书抓了卢俊义、石秀的第二天，城里城外便收到梁山泊的几十张没头帖子，声称要派兵攻城。梁中书吓得魂飞魄散，忙叫兵马都监大刀闻达、天王李成出城去迎战梁山泊军马。

原来，这没头帖子是戴宗虚写告示，想先保全卢俊义和石秀的性命。回到梁山泊，戴宗又把事情细细地说了一遍。宋江听罢大惊，连忙领兵赶赴北京城，要救出卢俊义、石秀。

宋江、吴用率领梁山好汉攻打北京城，

李成、闻达在北京城内迎战。宋江领着大

量军士包围北京，从东西北三面攻打。李

成、闻达敌不过，退回城中。北京城危急，

梁中书急忙派人连夜到东京求援。

蔡京收到女婿的书信，便请枢密院各

位官员来商议。大家听说北京城告急后

都有些害怕，只有兵马保义使宣赞说："我

有个朋友，叫关胜，是关羽的后代。他熟

读兵书，精通武艺，可让他来扫清梁山泊，保国安民。"蔡京听了大喜，派宣赞马上把关胜带到东京。随关胜进京的还有他的结义兄弟郝思文。他们使用围魏救赵之计，攻打梁山泊。

宋江急忙撤退兵马，杀回山寨。他设下一计，让呼延灼诈降关胜，引诱他月夜劫寨。结果关胜、郝思文和宣赞三人都被宋江活捉，而关胜等人见宋江义气深重，也投了降，入了伙。

正月十五夜里，北京大张灯会以庆赏元宵时，吴用代替宋江为帅，带了二十八

位头领，分成八路兵马，依计杀向北京。凌

晨二时，时迁在翠云楼放火为号，各位好

汉一齐动手，里应外合，大破北京城，救了

卢俊义、石秀。一起协助的蔡福兄弟也随

吴用等人一起上了梁山。前来支援围攻

梁山的凌州单廷珪、魏定国也被关胜招

降。山寨又增加了许多好汉。

这天，段景住气急败坏地回来，说他

们买的二百多匹骏马被险道神郁保四一

伙人抢走送到曾头市了。

宋江听后怒气难平，说："以前夺去我

的马匹，今天又如此无礼。晁天王的冤仇

至今还未得报，若今天不去报了此仇，定

会惹人笑话，此仇不报，我誓不回山。"

吴用派时迁打听好曾头市的虚实后，

吴用点起五路兵马，又让卢俊义、燕青带五百人接应，浩浩荡荡杀向曾头市。

曾头市寨南寨北都挖了很多陷坑。史文恭只想引宋江打寨，掉进他的陷阱。吴用就将计就计，从背后包抄，一齐杀出，反将史文恭的伏兵全部逼入坑中；又推出一百多辆车子，装满了芦苇干柴，点着了；借着风势，火越烧越大，将史文恭营中楼栅全部烧毁了。

第二天，曾家大儿子曾涂挑战，被花荣一箭射下马来，当夜第三子曾索又被解珍一钢叉叉死于马下。曾长官见曾家五

hǔ shǎo le liǎng gè yòu nǎo yòu pà biàn jiào rén xià shū jiǎng hé
虎少了两个,又恼又怕,便叫人下书讲和,

yuàn jiāng suǒ duó mǎ pǐ jìn shù guī huán dàn shǐ wén gōng què bù kěn
愿将所夺马匹尽数归还,但史文恭却不肯

sòng huán nà pǐ qiān lǐ lóng jū zhào yè yù shī zi mǎ
送还那匹千里龙驹照夜玉狮子马。

yú shì wú yòng àn zhōng shuō fú yù bǎo sì guī xiáng shān zhài
于是吴用暗中说服郁保四归降山寨,

ràng tā yī jì xíng shì shǐ wén gōng zhòng jì chèn dàng wǎn yuè sè
让他依计行事。史文恭中计,趁当晚月色

méng lóng shuài gè yíng rén mǎ qián qù jié zhài jié guǒ zhòng le mái
朦胧,率各营人马前去劫寨,结果中了埋

fú zēng cháng guān jí shèng xià de zēng jiā sān hǔ wú yì huó kǒu
伏,曾长官及剩下的曾家三虎无一活口。

zhǐ yǒu shǐ wén gōng qí zhe qiān lǐ mǎ pǎo de kuài luò huāng ér táo
只有史文恭骑着千里马跑得快,落荒而逃。

shǐ wén gōng táo pǎo tú zhōng zhuàng dào le làng zǐ yàn qīng hé
史文恭逃跑途中,撞到了浪子燕青和

yù qí lín lú jùn yì lú jùn yì yì dāo jiāng tā cì xià mǎ lái
玉麒麟卢俊义,卢俊义一刀将他刺下马来,

yòng shéng suǒ bǎng le   yān qīng qiān le qiān lǐ lóng jū   huí dào dà zhài
用 绳 索 绑 了 , 燕 青 牵 了 千 里 龙 驹 , 回 到 大 寨 。

sòng jiāng jiāng shǐ wén gōng pōu fù wā xīn   xiǎng jì cháo gài hòu
宋 江 将 史 文 恭 剖 腹 挖 心 , 享 祭 晁 盖 后 ,

jiù àn cháo gài yí yán   ràng wèi yú lú jùn yì   lú jùn yì jiān
就 按 晁 盖 遗 言 , 让 位 于 卢 俊 义 。 卢 俊 义 坚

jué bù cóng   dà huǒ er yě dōu yào sòng jiāng bié zài tuī cí
决 不 从 , 大 伙 儿 也 都 要 宋 江 别 再 推 辞 。

hòu lái   sòng jiāng
后 来 , 宋 江

ì   yì zhuā jiū   jiū shang
提 议 抓 阄 , 阄 上

fēn ᴄié xiě zhe dōng píng fǔ
分 别 写 着 东 平 府

hé dōng chāng fǔ   zhè shì
和 东 昌 府 。 这 是

liáng shān pō dōng bian de liǎng
梁 山 泊 东 边 的 两

gè qián liáng fēng fù de zhōu
个 钱 粮 丰 富 的 州

fǔ   jué dìng shéi xiān pò
府 , 决 定 谁 先 破

le chéng   shéi biàn shì liáng
了 城 , 谁 便 是 梁

shān pō zhǔ   jié guǒ   sòng jiāng niān le dōng píng fǔ   lú jùn yì
山 泊 主 。 结 果 , 宋 江 拈 了 东 平 府 , 卢 俊 义

niān zháo le dōng chāng fǔ
拈 着 了 东 昌 府 。

二十九　梁山泊英雄排座次

三月初一，梁山好汉兵分两路：一路随宋江打东平府，另一路随卢俊义打东昌府。

宋江人马用计，轻易将兵马都监董平捉住，并劝服他归顺山寨。董平带人马骗开城门，宋江兵马长驱而入，大破东平府。宋江回到安山镇，白胜来报说："卢俊义去打东昌府，连输了两阵。城中有个猛将张清，善飞石打人，百发百中。"宋江立即

203

率领众人去东昌府救应。

第二天，张清前来挑战，中了吴用的圈套，被阮氏三雄捉住。张清见宋江很重义气，就归顺了山寨。在张清的举荐下，东昌府著名的兽医紫髯伯皇甫端也奔赴梁山共谋大义。

至此，梁山共有一百零八位好汉。宋

江心中高兴，便请公孙胜主持，邀请四方得道高士，选定吉日做七昼夜道场。

第七天夜里，天上突然一声巨响，西北方向天

水浒传
彩绘注音版

门大开，卷下一团火，直钻入祭坛正南方的地下去了。宋江随即叫人去挖，挖到一块石碑，上面有些文字。道士中有个叫何玄通的能通天书，他捧过石碑，看了很久

说："这石碑两旁一边是'替天行道'四个字，一边是'忠义双全'四个字，顶上是南斗星和北斗星，下面是各位英雄的大名。"

于是，宋江叫圣手书生萧让全部抄了下来。

石碑前面书写梁山泊三十六员天罡星：

天魁星呼保义宋江　　天罡星玉麒麟卢俊义

天机星智多星吴用　　天闲星入云龙公孙胜

tiān yǒng xīng dà dāo guān shèng
天勇星大刀关胜

tiān xióng xīng bào zi tóu lín chōng
天雄星豹子头林冲

tiān měng xīng pī lì huǒ qín míng
天猛星霹雳火秦明

tiān wēi xīng shuāng biān hū yán zhuó
天威星双鞭呼延灼

tiān yīng xīng xiǎo lǐ guǎng huā róng
天英星小李广花荣

tiān guì xīng xiǎo xuàn fēng chái jìn
天贵星小旋风柴进

tiān fù xīng pū tiān diāo lǐ yīng
天富星扑天雕李应

tiān mǎn xīng měi rán gōng zhū tóng
天满星美髯公朱仝

tiān gū xīng huā hé shang lǔ zhì shēn
天孤星花和尚鲁智深

tiān shāng xīng xíng zhě wǔ sōng
天伤星行者武松

tiān lì xīng shuāng qiāng jiàng dǒng píng
天立星双枪将董平

tiān jié xīng mò yǔ jiàn zhāng qīng
天捷星没羽箭张清

tiān àn xīng qīng miàn shòu yáng zhì
天暗星青面兽杨志

tiān yòu xīng jīn qiāng shǒu xú níng
天佑星金枪手徐宁

tiān kōng xīng jí xiān fēng suǒ chāo
天空星急先锋索超

tiān sù xīng shén xíng tài bǎo dài zōng
天速星神行太保戴宗

tiān yì xīng chì fà guǐ liú táng
天异星赤发鬼刘唐

tiān shā xīng hēi xuàn fēng lǐ kuí
天杀星黑旋风李逵

tiān wēi xīng jiǔ wén lóng shǐ jìn
天微星九纹龙史进

tiān jiū xīng méi zhē lán mù hóng
天究星没遮拦穆弘

tiān tuì xīng chā chì hǔ léi héng
天退星插翅虎雷横

tiān shòu xīng hùn jiāng lóng lǐ jùn
天寿星混江龙李俊

tiān jiàn xīng lì dì tài suì ruǎn xiǎo èr
天剑星立地太岁阮小二

tiān jìng xīng chuán huǒ er zhāng héng
天竟星船火儿张横

tiān zuì xīng duǎn mìng èr láng ruǎn xiǎo wǔ
天罪星短命二郎阮小五

tiān sǔn xīng làng li bái tiáo zhāng shùn
天损星浪里白条张顺

tiān bài xīng huó yán luó ruǎn xiǎo qī
天败星活阎罗阮小七

tiān láo xīng bìng guān suǒ yáng xióng
天牢星病关索杨雄

tiān huì xīng pīn mìng sān láng shí xiù
天慧星拼命三郎石秀

tiān bào xīng liǎng tóu shé xiè zhēn
天暴星两头蛇解珍

tiān kū xīng shuāng wěi xiē xiè bǎo
天哭星双尾蝎解宝

tiān qiǎo xīng làng zǐ yàn qīng
天巧星浪子燕青

石碑背面书写七十二员地煞星：

地魁星神机军师朱武　　地煞星镇三山黄信

地勇星病尉迟孙立　　地杰星丑郡马宣赞

地雄星井木犴郝思文　　地威星百胜将韩滔

地英星天目将彭玘　　地奇星圣水将单廷珪

地猛星神火将魏定国　　地文星圣手书生萧让

地正星铁面孔目裴宣　　地阔星摩云金翅欧鹏

地阖星火眼狻猊邓飞　　地强星锦毛虎燕顺

地暗星锦豹子杨林　　地轴星轰天雷凌振

地会星神算子蒋敬　　地佐星小温侯吕方

地佑星赛仁贵郭盛　　地灵星神医安道全

地兽星紫髯伯皇甫端　　地微星矮脚虎王英

地慧星一丈青扈三娘　　地暴星丧门神鲍旭

地然星混世魔王樊瑞　　地猖星毛头星孔明

地狂星独火星孔亮　　地飞星八臂哪吒项充

地走星飞天大圣李衮　　地巧星玉臂匠金大坚

207

地明星铁笛仙马麟 　地进星出洞蛟童威

地退星翻江蜃童猛 　地满星玉幡竿孟康

地遂星通臂猿侯健 　地周星跳涧虎陈达

地隐星白花蛇杨春 　地异星白面郎君郑天寿

地理星九尾龟陶宗旺 　地俊星铁扇子宋清

地乐星铁叫子乐和 　地捷星花项虎龚旺

地速星中箭虎丁得孙 　地镇星小遮拦穆春

地稽星操刀鬼曹正 　地魔星云里金刚宋万

地妖星摸着天杜迁 　地幽星病大虫薛永

地伏星金眼彪施恩 　地僻星打虎将李忠

地空星小霸王周通 　地孤星金钱豹子汤隆

地全星鬼脸儿杜兴 　地短星出林龙邹渊

地角星独角龙邹润 　地囚星旱地忽律朱贵

地藏星笑面虎朱富 　地平星铁臂膊蔡福

地损星一枝花蔡庆 　地奴星催命判官李立

地察星青眼虎李云 　地恶星没面目焦挺

地丑星石将军石勇　地救星小尉迟孙新

地阴星母大虫顾大嫂　地刑星菜园子张青

地壮星母夜叉孙二娘　地劣星活闪婆王定六

地健星险道神郁保四　地耗星白日鼠白胜

地贼星鼓上蚤时迁　地狗星金毛犬段景住

大家看了，惊讶不已。宋江大喜，大设筵宴，亲捧兵符印信，颁布号令。然后，

又在山顶立了一面杏黄色的旗子，上面写着"替天行道"四个字；又在忠义堂前绣了

两面红旗，一面上绣着"山东呼保义"，另一面上绣着"河北玉麒麟"；堂前柱子上也立了两面朱红金字牌，写着"常怀贞烈常忠义，不爱资财不扰民"。一切安排就绪，宋江另选好日子，众好汉齐聚忠义堂上，歃血誓盟，要替天行道。

三十 受招安征方腊，好汉尽散

　　梁山势力日渐壮大，宋徽宗深感忧虑，派殿前太尉陈宗善为钦差前去梁山招安。

　　宋江早盼朝廷降诏招安，当下十分欢喜，派萧让等人下山迎接。不料，陈太尉的随从盛气凌人，与阮小七等人发生冲突。阮小七和众水手将御酒喝光，然后换上普通的白酒。

　　到了梁山，陈太尉递上诏书，萧让宣读了，众好汉见诏书上并无抚恤的话，心

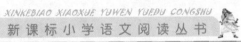

中都十分不满。李逵气得把诏书夺了,撕得粉碎,揪住太尉要打,被宋江、卢俊义拦住。众人又喝了假御酒,都气得大骂,闹了起来。

招安失败,朝廷派枢密使童贯挂帅,率十万人马攻打梁山。宋江两次打败童贯的大军,童贯只身逃回东京。随后,高俅自荐为帅,率十路兵马,杀向梁山,结果三战三败,高俅也被活捉。宋江将高俅放了,又派燕青、戴宗去拜见宿太尉和李师

师，向皇上表明愿意接受招安、为国效力
的心意。宋徽宗在李师师那儿见到燕青，
又听了宿太
尉的请奏后，
亲下诏书，再
派宿太尉带
着厚礼上梁
山招安。

　　宋江带领梁山好汉受招，浩浩荡荡开
进东京，朝见天子。宋徽宗命宋江为破辽
都先锋，卢俊义为副先锋，出征辽国。宋
江率大军出征，接连收复四州。辽国不敌，
向宋请降议和。随后，徽宗又命宋江率梁
山好汉南征方腊。

　　宋江等虽然平定了方腊义军，活捉了

方腊，但梁山好汉也损兵折将。秦明、徐宁、张清、史进等五十九员将领阵亡；林冲、杨志等十人在路上病故；鲁智深在六合塔寺坐化圆寂；武松断了一只手臂，在六合塔寺出家；燕青不愿进京为官，辞别卢俊义，自为平民；李俊和童威、童猛三人造船泛海去了暹罗国。再加上征方腊前，公孙胜就辞别出家，皇甫端、萧让等五人又被留在京城。宋江平方腊进京时，一百零八将只剩二十七人了。

sòng huī zōng gǎn niàn tā men zhōng yì　yī yī fēng shǎng　sòng
宋徽宗感念他们忠义，一一封赏。宋

jiāng zuò le chǔ zhōu ān fǔ shǐ　lú jùn yì zuò le lú zhōu ān fǔ
江做了楚州安抚使，卢俊义做了庐州安抚

shǐ　qí tā jiàng shì yě
使，其他将士也

dōu bèi wěi pài dào gè dì
都被委派到各地

rèn guān
任官。

bù jiǔ　dài zōng cí
不久，戴宗辞

guān chū jiā　shù yuè hòu
官出家，数月后

dà xiào ér zhōng　ruǎn xiǎo
大笑而终。阮小

qī bèi biǎn wéi píng mín
七被贬为平民，

huí lǎo jiā dǎ yú　hòu lái shòu zhōng zhèng qǐn　chái jìn hé lǐ yīng
回老家打鱼，后来寿终正寝。柴进和李应

yě cí guān huí jiā　guān shèng zài dà míng fǔ zǒng lǐng bīng mǎ　shèn
也辞官回家。关胜在大名府总领兵马，甚

dé jūn xīn　hòu zuì jiǔ diē luò mǎ xià ér sǐ　hū yán zhuó zài
得军心，后醉酒跌落马下而死。呼延灼在

huái xī zhèn wáng　zhū tóng suí cháo zhōng dà jiàng liú guāng shì pò le
淮西阵亡。朱仝随朝中大将刘光世破了

jīn bīng　guān zhì tài píng jūn jié dù shǐ
金兵，官至太平军节度使。

gāo qiú hé yáng jiǎn děng rén jiàn cháo tíng zhòng yòng sòng jiāng děng
高俅和杨戬等人见朝廷重用宋江等

人，心中嫉恨，用药酒害死卢俊义，又在赐给宋江的御酒里下毒。宋江饮下毒酒后不久，知道中了贼臣的奸计，怕李逵造反，把他叫来，骗他也喝了毒酒。两人死后被葬在蓼儿洼。

吴用和花荣得知宋江被害，前来哭祭，然后双双在宋江坟前自缢身亡。

可怜梁山一百零八将，轰轰烈烈一场后终归沉寂。